SECRETOS DE LA COCINA
CHILENA

Bilingual Edition

SECRETOS DE LA COCINA
CHILENA

Bilingual Edition

Roberto Marín

ORIGO

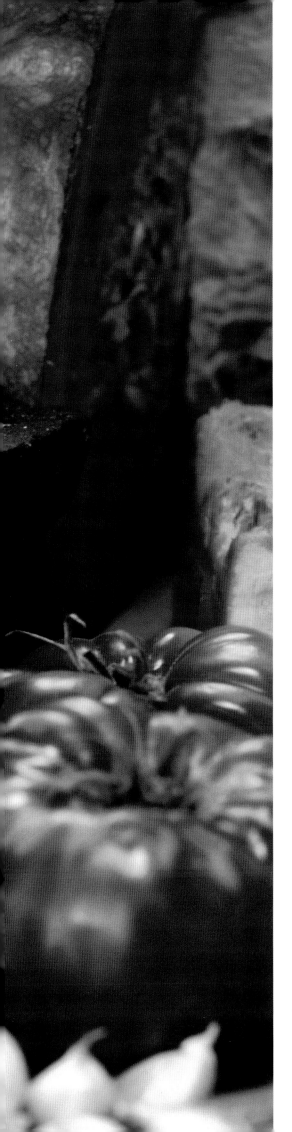

CONTENIDOS
CONTENTS

CHILE: UNA AVENTURA CULINARIA
CHILE: A CULINARY ADVENTURE

Este país nuestro, tan largo como un banquete antiguo de doce platos, anida en cada región, valle y pueblo, una manera muy propia de cocinar sus alimentos. Desde Arica a Magallanes, 4.200 kilómetros nos deparan una variedad tremenda de maneras de apearse para preparar los cocimientos, mostrando el abanico de tan variados frutos del aire, del agua y de la tierra, que el fuego funde en gozosas combinaciones culinarias. Por esta razón es que lo invitamos a recorrer Chile en busca de las más destacadas preparaciones regionales.

En toda ciudad chilena que se respete hay un Mercado Central, que controla la autoridad municipal, donde se ofrecen los productos naturales de la zona. También los preparados con antiguas recetas de su localidad, en sencillos restaurantes ubicados en su interior, donde los turistas tienen la oportunidad de probar los auténticos sabores de nuestra tierra.

Comenzando por el norte y por la costa, Tarapacá y Antofagasta ofrecen el atún escabechado y la albacora rosada o pez espada en escalopas adobadas con ajo, vinagre, pimienta y cúrcuma. Además los erizos servidos al natural con el aromático jugo de limón proveniente del pueblo de Pica. Desde Caldera se hacen las famosas lapas en sopas o cremas espesas llamadas "picantes" y "chupes". Los abundantes pulpos que tiernos y exquisitos se ofrecen fríos en ensaladas, y calientes en picantes. En la zona cordillerana prima la cocina altiplánica sobre la base de papas, mote de maíz blanco, ají y carne de llamo.

Atacama y Coquimbo se distinguen por sus opulentos camarones de río preparados en chupes o en ajiaco de papas con queso de cabra. También destacan los cabritos lechales, bien dorados y crujientes, al horno o asados a la parrilla.

La Serena es el hogar del Pichihuén, un pescado de orilla exclusivo de esa región, de fino sabor y delicada consistencia. En esta zona se preparan los ostiones a la crema, a la parmesana o al pil-pil, como se le llama a la fritura con ají y ajo, y el mejor picante de machas. De Guanaqueros son unas empanaditas fritas de machas jugosas y picantitas, y de Coquimbo el caldillo de peje-perro tan sustancioso que invita a dormir siesta. Y qué decir de los quesos de cabra de cordillera, secos por fuera y mantecositos por dentro, de la chuchoca gruesa con papas y chicharrón de vacuno y de la deliciosa lengua nogada.

In Chile, as long and narrow as one of those old-time tables set for twelve, every region, valley, and town has its very own ways of preparing its favorite foods. The 2,600 mile stretch from Arica to Magallanes reveals a multitude of dishes that draw on the tremendous variety of fruits of the land, sea, and air. Come, join us on a culinary tour of Chile and discover the country's most outstanding regional preparations.

Every Chilean city has its own municipally-controlled Central Market that offers the area's finest farm-fresh products. The markets also include humble restaurants that serve typical dishes made from time-honored recipes—the perfect way for tourists to sample the authentic flavors of our land.

Let's begin along the northern coast, where Tarapacá and Antofagasta offer pickled tuna and swordfish marinated with garlic, vinegar, pepper, and turmeric. Sea urchins are served raw with the juice of the tiny lime-like Pica lemon. Traveling southward, Caldera is known for its limpets in soups or thick chowders, and the bountiful octopus is both tender and delicious served hot or cold. Closer to the Andes, the altiplano diet is based on potatoes, hominy, chili peppers, and llama meat.

Atacama and Coquimbo are famous for their abundant crayfish prepared in chowders or soups with potatoes and goat cheese. This is also the place to try crispy, golden baby goat, straight from the oven or grill.

La Serena is home to the Pichihuén, a fish found only along the region's coastline and prized for its fine flavor and delicate texture. The area's numerous dishes feature razorback clams and scallops prepared with chili pepper and garlic. Guanaqueros offers juicy, spicy fried clam empanadas, and Coquimbo's dogfish is so hearty that it must be followed up by a nice, long nap. And then there's the goat cheese from the mountains, dry on the outside and creamy on the inside, and coarse corn meal with potatoes and beef cracklings, or a delicious beef tongue in walnut sauce.

Central Chile's 5th and Metropolitan Regions are the geographic and economic heart and stomach of the nation, and food products from the entire country find their way here. The traditional Sunday oven-baked empanada is Chile's national culinary symbol and a must on Independence Day. Its soft and slightly crumbly dough and delightful aroma blend with the juicy meat filling made of beef, onions, chili pepper, cumin, olives, and hard-boiled

LAS EMPANADAS DE HORNO RELLENAS DE JUGOSA CARNE, ACEITUNAS, PASAS Y HUEVOS, SON UNO DE LOS PLATOS EMBLEMÁTICOS DE LA GASTRONOMÍA CHILENA. TRADICIONALMENTE SE CUECEN EN LOS GRANDES HORNOS DE BARRO AL AIRE LIBRE.

OVEN-BAKED EMPANADAS WITH A JUICY MEAT FILLING MADE WITH BLACK OLIVES, RAISINS, AND HARD-BOILED EGG ARE ONE OF THE MOST TYPICAL DISHES OF CHILEAN CUISINE. TRADITIONALLY THEY ARE BAKED IN LARGE OUTDOOR ADOBE OVENS.

En el centro de Chile se encuentra la Quinta Región y la Metropolitana, corazón y estómago geográfico y comercial del país, a los que fluyen los productos alimenticios desde todas las regiones de Chile.

La empanada de horno dominguera es, en esta zona, un emblema gastronómico de chilenidad en las festividades patrias. Su masa suave, ligeramente quebradiza y de aroma deleitoso, confluye con los olores del jugoso pino: relleno de carne, cebolla, ají, comino, aceitunas y huevo duro. No hay quién se resista a las empanaditas fritas de queso mantecoso, pino o infinidad de mariscos.

Cuando se dice "más chileno que los porotos" se dice una gran verdad, porque esta leguminosa constituye uno de los platos favoritos de nuestro país. Se preparan con cebollas, pimentón, ajo, manteca y salsa de ají. A fines de primavera aparecen los porotos granados que se unen con choclo y zapallo y se aromatizan con albahaca.

Otro plato bien campesino es la enjundiosa cazuela nogada de pava, plato simbólico de San Felipe.

En Valparaíso, un mar de sabores esperan al visitante. Sobresale el congrio colorado, frito en medallones junto a su acompañante habitual, la ensalada "chilena".

El caldillo de congrio, inspiración de poetas como Neruda, que inmortalizó su receta en una apetitosa oda, lo sirven en todas las caletas de la zona central.

Si tenemos invitados, nada mejor que ofrecerles como entrada los famosos locos con mayonesa o con salsa verde, mezcla de perejil, cebolla, aceite, sal y pimienta. Tratándose de grandes ocasiones, lo más apropiado es una langosta de las islas de Juan Fernández, que por su sabor se destaca notablemente de la de otros mares.

Más al sur, encontramos numerosos guisos y antiguos platos chilenos como las papas con mote o maíz seco molido llamado chuchoca. No podemos olvidar el tomaticán, antiguo guiso mapuche, tampoco los zapallitos rellenos, los fritos de coliflor, el guiso de repollo con cebollas y choricillos, los garbanzos con arroz y longanizas, las lentejas con tocino y queso rallado y las albóndigas guisadas. Recordemos los salpicones, entradas de lechuga, cebolla, huevo duro, cubitos de papa cocida y carne. Los fricasés que de francés solo tienen el nombre: elaborados con criadillas, sesos, pollos o diferentes mariscos principalmente machas.

Por último el bistec a lo pobre, adaptación del "Bifteck au Poivre" que los viajeros chilenos trajeron de París hace 120 años. Las cocineras le quitaron la

egg. And a fried empanada filled with cheese, meat, or shellfish is simply irresistible.

The expression 'more Chilean than beans' couldn't be truer; legumes are a national favorite, prepared with sautéed onions, green pepper, garlic, and hot sauce. Fresh cranberry beans appear in late spring and are prepared with corn and squash and flavored with basil.

Another popular dish from the countryside is a hearty, walnut-studded turkey stew, the emblematic dish of San Felipe.

An entire oceanful of flavors awaits visitors in Valparaiso, Chile's major seaport. Red kingklip—or conger eel—for example, is outstanding when cut into steaks, fried, and served with the typical 'Chilean Salad' of tomatoes and onions.

Chile's Kingklip Chowder inspired poets; Nobel Prize winner Pablo Neruda immortalized the dish in his delicious ode, and his recipe is still served all along the central coast.

There's no better way to begin a meal with guests than by serving abalone dressed with mayonnaise or the typical green salsa made with parsley and onions. For special occasions, what could possibly beat one of the world's most flavorful lobsters from the Juan Fernández Islands.

Further south we find many stews and traditional Chilean dishes such as potatoes with hominy or dried and coarsely-ground corn meal. We cannot overlook such typical dishes as the ancient Mapuche contribution tomaticán, or other favorites such as stuffed zucchini, cauliflower fritters, cabbage and onion stew with sausage, garbanzos with rice and sausage, lentils with bacon and grated cheese, or stewed meatballs. We fondly remember salpicones, served as a first course with lettuce, onion, hard-boiled egg, cubes of boiled potatoes, and beef. The French fricassee has been completely nationalized and is now made with lamb fry (testicles), brains, chicken, or shellfish, especially razorback clams.

And finally, Chilean-style steak and eggs (called 'Poor Man's Steak' in Spanish), the beloved adaptation of the French Steak au Poivre, was brought home from Paris by Chilean travelers some 120 years ago. Local cooks removed the black pepper and added french fries, fried onions, and topped the steak with two fried eggs.

If we get off the southbound train in Talca, we can try crunchy breaded frogs' legs from the Claro River or a stewed chicken with dried mushrooms soaked in white wine. Or the stupendous short

pimienta y le añadieron las papas, las cebollas fritas y dos huevos fritos "a caballo" del bistec.

Si nos bajamos del tren al sur, en Talca podremos probar las ranas del río Claro apanadas y bien crujientes. Así mismo una pollona o un capón guisados con callampas secas de pino, remojadas con vino blanco. Además la estupenda plateada a la cacerola, enjundiosa, muy blanda y sabrosa.

En Constitución esperan los grandes pejerreyes "cauques" del río Maule, fritos arrebozados que son una delicia y las lisas a las brasas, preparadas con ají, salsa de ajo y orégano. Se puede continuar viaje por la costa luego de despachar un pastel de choclo con cochayuyo, llamado "pavo negro".

Al llegar a Chanco podemos probar esos quesos de vaca que se derriten de puro cremosos que son. En Pelluhue preparan el caldillo "criaturero" de corvina, famoso por su poder afrodisíaco. En Cauquenes esperan los escabeches de perdices o de patos silvestres y los conejos y liebres hechos a la "cauquenina". También los guisados de chuchoca entera sin moler.

Siguiendo viaje al sur al pasar por Chillán, entre mayo y junio, podrá participar en una típica celebración campesina: "la fiesta del chancho", en la que se faena un animal engordado especialmente para este fin. En dos o tres días de festejos se consumen apetitosas preparaciones, como chicharrones carnudos y bien saladitos, prietas, patitas, perniles calientes con pebre de cebollinos y cilantro, queso de cabeza, cazuela de chancho con chuchoca, jamones al horno, longanizas oreadas al humo, arrollados calientes con salsa de ají y costillares bien condimentados y picantes, asados al horno o a las brasas. Todo acompañado por algún vino pipeño áspero y entonador o un blanco suave, perfumado por las uvas Moscatel. Y en Chillán Viejo son famosos los patos asados a la parrilla.

Puede continuar con el "Estofado de San Juan", celebración a los Juanes en el día de su santo. Un enorme fondo recibe cebollas, cabezas de ajo, ají colorado y guindas secas ácidas, que se alternan con torcazas, perdices, pollos, patos, gansos, longanizas y costillares de cerdo ahumados y cueros del mismo. Se aromatiza con pimentón y orégano, para luego vaciar un espléndido pipeño blanco hasta cubrir el contenido y cocinarlo durante varias horas.

Después de descansar un par de días se puede seguir hasta Concepción, pero no sin probar un anticipo de los grandes y famosos curantos de

plate casserole, hearty, delicious and very tender.

In Constitución delicious batter-fried pejerreyes, or 'cauques' from the Maule River await us, along with grilled mullet prepared with chili pepper, garlic sauce, and oregano. We can continue southward along the coast for some corn and meat pie made with algae called 'black turkey.'

When we reach Chanco we have to try some of those cow's milk cheeses that just melt from pure creaminess. In Pelluhue the Chilean sea bass soup is known for its aphrodisiacal powers. Cauquenes offers up pickled partridges or wild duck, as well as 'Cauquenes style' rabbit or hare, and stews made with whole dried corn kernels.

If we're lucky enough to be traveling in May or June, we can participate in a typical country 'pig fest' celebration just south of Chillán. Pigs are fattened especially for the occasion and in the course of the two- or three-day festival, participants consume tremendous portions of salty, meaty cracklings, blood sausage, pigs feet, ham hocks with cilantro and green onion salsa, pork stew with polenta, oven-baked ham, smoked sausages, steaming ham rolls with hot sauce, and spicy ribs right off the grill, all washed down with coarse local jug wine or a sweetly perfumed Muscat. And Chillán Viejo is famous for its grill-roasted duck.

Let's continue on with the traditional 'San Juan Stew,' which celebrates all those named Juan on their saint day. Onions, whole heads of garlic, chili peppers, and dried sour cherries are alternated with ringdoves, partridges, chickens, ducks, geese, sausages, and smoked pork ribs and their skins in an enormous pot, seasoned with pepper and oregano, covered with a local white wine and cooked for hours.

It will take a couple days to recover before we are ready to move on to Concepción, but not without first trying a stovetop 'curanto,' a smaller-scale adaptation of the enormous clambake made famous in Chiloé, or the chicken from Lirquén made with white wine, mussels and smoked sausages.

Talcahuano presents its own version of the popular 'mariscal' with seaweed: a plateful of mixed raw shellfish that exude their flavor when we add lemon, green onion, parsley or cilantro, and green chili. If you prefer your seafood cooked, try the 'paila marina' in its rich broth that results from cooking assorted shellfish and crustaceans with a piece of fish. The same dish is called 'patache' in Puerto Montt.

LAS MEJORES HORTALIZAS Y FRUTAS COMO LOS TOMATES, LAS PAPAS, LOS CHOCLOS, LA SANDÍA, LA UVA O LAS NARANJAS SE PUEDEN ENCONTRAR EN LOS HUERTOS RURALES DE DIFERENTES ZONAS DEL PAÍS.

THE BEST FRUITS AND VEGETABLES, SUCH AS TOMATOES, POTATOES, CORN, WATERMELON, GRAPES, OR ORGANGES ARE FOUND IN RURAL GARDENS AROUND THE COUNTRY.

Chiloé: un curanto menor en olla o "pollo Lirquén", que se prepara en la localidad de ese nombre y que lleva vino blanco, presas de pollo, cholgas y longanizas ahumadas.

Al llegar a Talcahuano, encontramos el mariscal con ulte, donde variados mariscos vivos exudan su sabor al agregarles limón, cebollino, perejil o cilantro y ají verde. Si los prefiere cocidos puede degustar una paila marina, caldillo resultante de la cocción de todos aquellos mariscos, crustáceos y una presa de pescado. En Puerto Montt, este mariscal cambia de nombre y se llama "patache".

En Temuco, el corazón de la Araucanía, puede reponer fuerzas comiendo un ajiaco con tiras de carne asada, cebolla frita, papas, ají verde, pimentón, comino y orégano, todo hervido en caldo de huesos.

Por el sector de Lonquimay, en el alto Bío Bío, cuecen los piñones de araucaria al vapor y los aliñan con pebre de merquén y cilantro.

En la zona de Valdivia, es tentador reanimarse con un valdiviano, sopa de charqui y cebollas con orégano, ají verde y huevos. También los deliciosos "puyes", que son los alevines de la peladilla, pez autóctono de lagos y ríos sureños. Se preparan al pil-pil, igual que las angulas europeas.

Continuando hacia el sur, en Puerto Montt y Chiloé podemos probar el "cancato", forma de preparar pescados abiertos y bien condimentados a la parrilla.

Y para conocer de una sola vez toda la cocina chilota, nada mejor que instalarse en Castro en febrero, durante su famosa semana gastronómica y asistir a la fiesta del "curanto" chilote cuya preparación es una verdadera ceremonia. Calientan una cama de piedras en una depresión del suelo sobre las que encienden una gran fogata. Una vez consumido el combustible, sobre las piedras se vacían abundantes mariscos, verduras y otras variedades de carnes, tapando todo esto con hojas de nalca.

En la Patagonia chilena los corderos se preparan lentamente al asador vertical, con el calor radiante de una fogata, lo que tarda al menos cuatro horas.

En Punta Arenas encontrará el más fino y delicioso de nuestros crustáceos: la centolla. Además deberá probar los exquisitos pejerreyes del Estrecho de Magallanes, que se fríen arrebozados en batido de harina y cerveza magallánica.

Esta magnífica aventura culinaria nos deja en claro que Chile sí tiene una gastronomía variada, abundante, sabrosa y de calidad.

EN LOS MERCADOS RURALES Y DE PEQUEÑAS CIUDADES, SE OFRECEN PRODUCTOS TÍPICOS DE LA ZONA QUE CONSERVAN LAS ANTIGUAS TRADICIONES DE SUS HABITANTES. EN ESTOS LUGARES NO ES DIFÍCIL APRECIAR LAS MEZCLA ENTRE MODERNIDAD Y TRADICIÓN EN UN PERFECTO EQUILIBRIO GASTRONÓMICO.

RURAL AND SMALL TOWN MARKETS OFFER LOCAL PRODUCTS AND CONSERVE THE OLD-TIME TRADITIONS OF THEIR RESIDENTS. IT IS EASY TO SEE THAT THE BLEND OF TRADITION AND MODERN LIFE COEXIST IN PERFECT GASTRONOMIC HARMONY.

In Temuco, the heart of the Araucanía, build up your strength with an 'ajiaco' made with strips of grilled meat, fried onions, potatoes, green chilies, bell peppers, cumin, and oregano boiled in a rich beef broth. Across the Lonquimay in the high Bío Bío, giant araucaria pine nuts are steamed and seasoned with merquén pebre and cilantro.

When in Valdivia, don't miss the tempting Valdiviano soup made with jerky and onions, oregano, green chilies, and eggs. Or try the delicious puyes, which are the offspring of the peladilla fish native to southern lakes and rivers and prepared 'al pil-pil' with garlic and chili peppers like baby eels in Europe.

Continuing south to Puerto Montt and Chiloé, be sure to try the highly-seasoned concato-style grilled fish. The best way to get to know Chiloé's unique cuisine is to go to Castro in February during its famous Gastronomic Week and attend its Curanto Festival. Preparing this traditional feast is a truly ceremonial process that begins with laying a bed of stones in a hole in the ground and building a large bonfire on top. Once the fire has died down and the rocks are hot, they are generously layered with shellfish, vegetables, and a variety of meats, covered with the enormous leaves of the local nalca plant, and left to cook for hours.

In the Chilean Patagonia, lamb is roasted on vertical spits, where it slowly absorbs the radiant heat of a large open fire over the course of at least 4 hours. And Punta Arenas is where you'll find Chile's finest and most delicious crustacean: the king crab. While you're there, try some delicious pejerreyes from the Strait of Magellan dipped in beer batter and fried.

This magnificent culinary adventure makes it clear that Chile does indeed have a truly varied, abundant, flavorful, and high quality cuisine.

PRODUCTOS TÍPICOS CHILENOS
TYPICAL CHILEAN PRODUCTS

La cocina de los pueblos indígenas que habitaban los territorios que hoy llamamos Chile, tenía un modesto desarrollo a pesar de contar con suficiente cantidad de alimentos autóctonos como papas, porotos, maíz, tomates, ajíes, zapallos y quínoa. Además de las carnes de animales domésticos como la llama y la alpaca o de los silvestres como el guanaco, el pudú y el huemul, disponían de una gran variedad de aves, que daban numerosas posibilidades de preparación.

Con la llegada de los conquistadores españoles hace 500 años, se inicia el mestizaje humano y culinario que va a dar por resultado lo que hoy denominamos "cocina chilena". El aporte hispánico enriqueció nuestra cocina con una gran variedad de alimentos. La introducción de animales domésticos como porcinos, ovinos, bovinos, caprinos y aves de corral amplió las preparaciones de carnes. Por su parte el trigo, las hortalizas, las hierbas de olor y otros condimentos multiplicaron los sabores.

La singular geografía de Chile, su benigno clima mediterráneo y sus purísimas aguas, que escurren desde las nevadas cumbres de la cordillera andina, permiten una variada producción hortícola y frutícola y contribuyen poderosamente a que nuestros alimentos posean una altísima calidad sabórica, estética y nutricional.

El amplio caudal marítimo de la corriente de Humboldt, que baña las costas del país de sur a norte, favorece una abundante y variada presencia de peces, moluscos y crustáceos, los que permiten desarrollar y dinamizar el arte culinario. Los productos del mar constituyen un preciado manjar por su extraordinario sabor y consistencia, los que además son posibles de encontrar a lo largo de nuestro estrecho país.

La moderna tecnología que prudentemente se ha ido incorporando a la producción agropecuaria, apoya lo que el escenario geográfico ofrece de modo natural. Estas innovaciones han impulsado la obtención de mejores productos y han resguardado a nuestra tierra de pestes vegetales y animales. Esta condición representa un estímulo para nuestra capacidad exportadora y un reconocimiento en el ámbito de la gastronomía internacional, en un mundo globalizado donde la sanidad y calidad de nuestros productos, nos permiten competir con ventajas evidentes en el mercado global.

The indigenous peoples who inhabited the land that is now called Chile had a modest cuisine, despite having sufficient quantities of native foods such as potatoes, beans, corn, tomatoes, chili peppers, squash, and quinoa. In addition to meat from domesticated animals such as llamas and alpacas and the abundant wild animals such as guanacos, pudues, and huemuls, a large variety of birds also provided numerous culinary possibilities.

The arrival of the Spanish conquistadors 500 years ago gave rise to a human and gastronomic mestizaje that has resulted in what is now considered 'Chilean cuisine.' Hispanic contributions enriched our culinary repertoire with a variety of new foods. The introduction of domestic animals such as pigs, cows, sheep, and poultry broadened the variety of meat dishes, while wheat, new vegetables, aromatic herbs, and other condiments multiplied the flavors.

Chile's unique geography, its propitious Mediterranean climate, and the pristine waters that flow from the snow-capped peaks of the Andes allow a varied production of fruits and vegetables and strongly contribute to our food products with very high flavor, nutritional, and aesthetic value.

The abundant oceanic flow of the Humboldt Current bathes the country's coastline from south to north and encourages a bountiful and widely varied supply of fish, mollusks, and crustaceans that encourage the development of the culinary arts. The extraordinary flavor and consistency of Chile's seafoods are a precious delight, and they are available all throughout our long country.

Modern technology has prudently been incorporated into agricultural production and supports the bounties offered naturally by the national geography. These innovations have resulted in better products and have protected our land from animal and plant pests. This condition represents a stimulus for our export capacity and a recognition in the area of international gastronomy in a globalized world where the health and quality of our products allows Chile to compete with clear advantages in the global market.

LAS FERIAS AMBULANTES SON EL LUGAR PERFECTO PARA ENCONTRAR LA MAYOR VARIEDAD DE FRUTAS Y VERDURAS. CON LA MEJOR CALIDAD Y PRECIO. SU AMPLIA GAMA DE PRODUCTOS INVITA A ABRIR LOS SENTIDOS Y ADENTRARSE EN ESTE MUNDO.

WEEKLY OPEN AIR FARMERS MARKETS ARE THE PERFECT PLACE TO STOCK THE PANTRY WITH THE BROAD RANGE OF FRUITS AND VEGETABLES AVAILABLE. THE TREMENDOUS VARIETY INVITES US TO OPEN OUR SENSES AND EXPLORE THIS CULINARY WORLD.

PAPAYA CHILENA

Fruta que se produce en la zona costera del país, desde la VII región hasta el límite norte. En su plena madurez adquiere un hermoso color amarillo oro, destacando su delicioso sabor y perfumado e invasor aroma, que la diferencian de las grandes papayas tropicales más bien insípidas y carentes de perfume. Se consume habitualmente preparada en almíbar, confitada o al jugo, pudiendo agregarle a esta última, jugo de naranjas o crema chantilly.

CHIRIMOYA

Refinada fruta cuyo suave y delicioso sabor y aroma exigen el clima marítimo existente en algunas áreas del valle central y de la costa de la IV región. Su pulpa blanca, cremosa y dulce permite consumirla como postre sin ninguna preparación, fuera de retirarle las pepas. Es costumbre servirla en trocitos bañados con discreta cantidad de jugo de naranja, postre llamado "chirimoya alegre". Además se puede preparar como aperitivo con vino blanco frío y azúcar.

LÚCUMA

Esta fruta exige un clima templado y estable, por lo que el territorio donde se cultiva queda limitado a los valles y zona costera de la III a V regiones. Su pulpa es amarilla, de consistencia pastosa y cuando está madura exhala un peculiar y atractivo aroma. Aún cuando puede comerse al natural sus características se magnifican al moler la pulpa y añadirla en postres, tortas, budines, cremosos helados y en el muy famoso bavarois de lúcuma con crema de vainilla.

CHILEAN PAPAYA

Grown along the coast from the 7th region to the Peruvian border, Chilean papayas are unlike the larger papayas grown elsewhere that tend to lack flavor and aroma. This beautiful golden yellow variety is highly perfumed and has a delicious flavor. Papayas are most commonly prepared in syrup, candied, or served with orange juice and whipped cream.

CHERIMOYA

This unusual fruit has a delicious mild flavor and creamy texture. It needs a maritime climate and is found in some areas of the Central Valley and along the coast of the 4th region. Its sweet white pulp is prepared by simply removing its many large seeds. It is commonly served for dessert in bite-sized pieces and topped with orange juice. It can also be mixed with cold white wine and sugar for a refreshing summer drink.

LUCUMA

Native to the central Andes, this fruit requires a stable, temperate climate, and grows well in the valleys and coastal areas between the 3rd and 5th regions. Its pulp is yellow and pasty and exudes a curious yet attractive aroma when ripe. Although it can be eaten raw, its characteristics are magnified by grinding the pulp and adding it to desserts such as cakes, puddings, ice creams, and especially in the famous lucuma bavarois with vanilla cream.

CHOCLO PASTELERO

Es la variedad más común de maíz para cocinar en Chile. Es grueso, robusto, sabroso, de granos con cutícula firme e interior lechoso. Estas características le dan propiedades óptimas para la preparación de variados platos tradicionales como las famosas "humitas" o la "pastelera", postre dulce en que el polvo de canela juega un papel especial. Además, el choclo pastelero aporta consistencia y sabor a guisos como los "porotos granados" o para formar, junto con la albahaca, la masa del "pastel de choclo".

MOTE DE TRIGO

Los pueblos originarios preparaban el mote con maíz antes de que los españoles introdujeran el trigo. Este mote se obtiene mediante la maceración y cocción de los granos de trigo, a los cuales se les aplica lejía de cenizas para que se ablanden e hidraten y así desprendan su hollejo. Hoy el mote de trigo es un alimento tradicional en la dieta chilena en variados guisos y en el "mote con huesillo", como postre o refrescante bebida.

POROTOS GRANADOS

Etapa intermedia en el desarrollo de esta legumbre, entre el poroto verde y el seco. En esta etapa de maduración posee un hollejo fino y una fécula cremosa, haciéndolo muy adecuado para la versión veraniega de los porotos guisados. Su preparación más sabrosa es la llamada porotos granados con "pirco," correspondiendo esta segunda palabra mapuche al choclo rebanado. Este es uno de los platos más representativos de nuestra cocina.

CHILEAN CORN

This is the most common type of corn for cooking in Chile. Big and flavorful, its large, thick-skinned kernels contain a rich milky juice, characteristics that make it ideal for preparing a wide variety of traditional dishes, such as the Chilean tamales called 'Humitas' and the sweet cinnamon-flavored dessert called 'Pastelera.' This corn also adds consistency and flavor to many stews and casseroles, such as 'Porotos Granados' or mixed with basil in 'Pastel de Choclo.'

WHEAT HOMINY or WHEAT BERRIES

'Mote' is a type of hominy that was originally prepared with corn before the Spanish introduced wheat to the Americas. The grains are softened by soaking them with potash or lye and then cooking them to loosen their hulls. Today wheat hominy is a common ingredient in the Chilean diet and is found in a number of stews or served with peaches for a refreshing drink or dessert. Outside Chile, look for it at health food stores or substitute wheat berries.

CRANBERRY BEANS

These mottled red shelling beans are picked late in the season when they are no longer young and tender, but not yet hard and dry. At this point they have a thin skin and a creamy starchiness that make them very suitable for the summer version of stewed beans. The most flavorful variation is made with 'pirco,' the Mapuche word for grated corn. This is one of the most typical and best-loved of all Chilean dishes.

MACHAS

Marisco bivalvo cuya vida transcurre enterrado en la arena de los bajos fondos marinos cercanos a la playa. Su extracción es relativamente fácil durante la baja marea, en que, con el agua hasta la rodilla y moviendo los pies se percibe su presencia pudiéndose recoger con la mano. Es imposible visitar a Chile sin probar las deliciosas "machas a la parmesana", plato de entrada tan emblemático como es el Pisco Sour en el aperitivo.

Técnica de preparación:

1. Seccione con un cuchillo el músculo que mantiene fuertemente unidas ambas valvas. Luego extraiga la macha y lávela eliminando la arena.

2. Haga un pequeño corte en la parte blanda del abdomen y apriete hasta extraer el intestino con su contenido verdoso.

3. Luego golpee suave y repetidamente la lengua de la macha con el mango de un cuchillo o una cuchara de madera. Si la tarea se aplica sobre numerosas machas, es preferible colocarlas juntas en una bolsa de género o de polietileno y golpear la bolsa contra una mesa. Esto de aporrear las machas es indispensable porque el calor las endurece hasta hacerlas incomibles y crudas son blandas pero algo insípidas.

CONGRIO

En Chile son tres las variedades de congrio: colorado, dorado y negro y en ese orden está su calidad, determinada por el sabor y la consistencia. El colorado posee el sabor más destacado; el dorado se caracteriza por su consistencia más firme pero su sabor es de menor calidad que el anterior y el negro tiene buen sabor pero su carne es blanducha y más acuosa. Las tres variedades pueden prepararse de las mismas formas: fritas, en caldillo y horneados.

CHILEAN RAZOR CLAMS

This bivalve spends its life buried in the sand beneath the sea, close to the shore. They are easy to gather at low tide by wading in knee-deep and feeling around for them with your feet and then picking them up by hand. It is impossible to visit Chile without trying the delicious 'Machas Parmesan,' the starter course as emblematic as the Pisco Sour.

Preparation technique:

1. Use a sharp knife to cut the muscle that holds the two halves of the shell together. Extract the clam and wash it well to eliminate any sand.

2. Make a small cut in the soft part of the abdomen and press to eliminate the intestine and its greenish contents.

3. Raw clams are tender but rather insipid, and cooking tends to toughen them. This can be avoided by beating them softly and repeatedly with a knife handle or wooden spoon. Several clams may be prepared at once by putting them in a thick plastic bag and pounding them against a table or countertop.

KINGKLIP or CONGER EEL

The kingclip, sometimes called conger eel, is among Chilean's favorite fish. There are three varieties in Chile: red, golden, and black, in that order of quality, in terms of their flavor and consistency. The red kingklip has the best flavor; the golden is the firmest, but is less flavorful than the red; and the black kingklip has good flavor, but is softer and more watery. The three varieties may be prepared in the same ways: fried, baked, or in chowders.

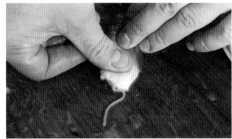

PICOROCOS

Curioso crustáceo que en su etapa juvenil se desplaza libremente, para luego fijarse sobre rocas del fondo marino. Se auto-confina en un hogar calcáreo que él mismo fabrica, dejando un orificio de amplitud suficiente para asomar un pico con el que captura su alimento de algas y plancton. Lo comestible del picoroco está constituido por la musculatura que moviliza el pico y por una sustancia gelatinosa que la cocción transforma en una densa y apetitosa crema. Una vez cocido este marisco puede prepararse en diferentes formas: frío con mayonesa; gratinado en que la carne se agrega a una salsa preparada con su jugo, harina, vino blanco, crema, queso parmesano rallado, cebollita frita en mantequilla y salsa de ají; en una sopa; o en un caldillo marinero, acompañado de otros mariscos.

Técnica de preparación:

1. Limpie de las algas adosadas a su cubierta escobillando enérgicamente.

2. Cuézalo al vapor en una olla amplia con moderada cantidad de agua durante 30 minutos. La cocción estará completa cuando al mover el pico, compruebe que ha adquirido rigidez.

3. Para retirar la carne de la concha, traccione el pico y corte la membrana que lo fija a la concha con un cuchillo fino. Si el orificio de la concha es muy estrecho y no permite su extracción, proceda a partir la cubierta calcárea con un golpe de martillo.

4. Cuele el líquido del interior y resérvelo. El jugo de los picorocos es un espléndido caldo para preparaciones de arroz, salsas, cremas y sopas, por su delicioso y especial sabor.

BARNACLES

This curious crustacean moves around freely during its juvenile stage, but then fixes itself to the rocks at the bottom of the sea and confines itself to its shell with a hole just large enough to stick out its beak to capture the algae and plankton that make up its diet. The edible part of the barnacle is the muscle that it uses to move its beak and a gelatinous substance that turns to a thick and delicious cream when cooked. This shellfish may be served in a variety of ways: cooked and chilled with mayonnaise, au gratin with a sauce made from its juice mixed with flour, white wine, cream, grated parmesan cheese, green onion fried in butter, and hot sauce, or in soups and chowders, alone or mixed with other shellfish.

Preparation technique:

1. Scrub the algae off the shell with a brush.

2. Steam the barnacles in a large pot with a moderate amount of water for 30 minutes. The beak will become rigid when it is fully cooked.

3. To remove the meat from the shell, pull the beak out and cut the membrane that attaches it to the shell with a sharp knife. If the hole in the shell is too small to remove the meat, crack it with a hammer.

4. Strain the liquid from the shell and reserve. Barnacle juice is delicious and makes a splendid broth for preparing rice, sauce, creams, and soups.

LOCO

Este sabroso molusco, cuyo nombre científico es *Concholepas concholepas*, habita las costas chilenas desde Cabo de Hornos hasta Arica y continúa por la costa sur del Perú donde recibe el nombre de "pie de burro" por el parecido al extremo distal de los miembros de este animal. Los mapuches descubrieron hace muchísimo tiempo que para hacer comestible el loco debía vencerse su dureza, aumentada tras las cocción. En el norte de Chile y el sur de Perú no advirtieron lo necesario de esta precaución, lo que les impidió disfrutar de este delicioso bocado. En su reemplazo eligieron la lapa, molusco que se ablanda tras una breve cocción pero que carece del sabor del loco, pues a diferencia de este voraz carnívoro, la lapa se alimenta solo de algas.

Técnica de preparación:

1. Desprenda el loco de su concha usando una cuña de madera o metal. Separe y elimine las vísceras. Es recomendable el uso de guantes protectores de goma para evitar impregnarse del fuerte olor visceral y del colorante violáceo.

2. Retire la uñeta ayudándose con un cuchillo.

3. Para ablandar los locos debe propinarles un apaleo que rompa su firme trama fibrosa, pero con la moderación necesaria para que conserve su forma natural. Para este objetivo puede usar una cámara de automóvil en la cual colocará no más de 30 locos.

Agregue 2 puñados de sal y comience a golpear la cámara contra una superficie sólida, dando entre 80 y 100 golpes. Otra alternativa, aunque menos práctica, es golpearlos individualmente con un mazo de madera. Debe darles la misma cantidad de golpes por todos sus lados hasta que los sienta blandos al tacto.

4. Lávelos y escobíllelos con agua corriente.

5. En una olla a presión con agua hirviendo sazonada, coloque los locos y déjelos cocerse durante 45 min. Deje enfriar, retírelos y consérvelos dentro de su jugo para evitar que se resequen.

CHILEAN ABALONE

This flavorful mollusk, *Concholepas concholepas*, is found all along the Chilean coastline, from Cape Horn to Arica and on into southern Peru, where it is called the 'Burro Foot' due to the similarity between its own 'foot' and a donkey's hoof. Chile's indigenous people, the Mapuches, discovered the way to tenderize these shellfish to make them edible, something that the inhabitants of northern Chile and southern Peru failed to do, thereby missing out on this delicious seafood. Instead they preferred limpets, a type of algae-eating barnacle that softens when cooked briefly but that lacks the rich flavor of the voracious carnivore, abalone.

Preparation technique:

1. Remove the abalones from their shells with a wooden or metal wedge. Separate and eliminate the viscera. Wearing rubber gloves will protect your hands from its strong smell and violet color .

2. Remove the foot with a knife.

3. Tenderize the abalones by beating them gently to break up their fibrous tissue, but without distorting their shape. A common method is to place no more than 30 in an inner tube with a couple handfuls of salt and then whack the tube against a hard surface 80 to 100 times. Another, less practical, alternative is to beat each one on all sides with a wooden mallet, again, 80–100 times until it feels soft to the touch.

4. Scrub the beaten abalones under running water to remove the salt.

5. Bring water to a boil in a pressure cooker, add the abalone, seal, and cook for 45 minutes. Allow to cool and transfer them to another container along with their cooking liquid to prevent them from drying out.

ERIZO

Marisco equinodermo de color rojizo con cubierta calcárea semiesférica erizada de púas. No confundir con su pariente, el erizo negro, no comestible. El erizo colorado puede alcanzar grandes dimensiones de entre 12 a 20 cm de diámetro. Sus gónadas u órganos sexuales, llamados lenguas, son cinco y constituyen el atractivo gastronómico. De buen tamaño entre abril y noviembre, en los meses siguientes se produce el desove y liberación de esperma por lo que se reducen ostensiblemente, perdiendo su atractivo.

Técnica de preparación:

1. Con el erizo boca abajo, golpee sobre la cúpula con un machete liviano o cuchillo pesado fracturándola en forma circular. Al destaparlo quedarán a la vista las lenguas.

2. Vacíe el jugo colándolo en un recipiente.

3. Desprenda las lenguas cuidadosamente con los dedos. Lávelas en el jugo reservado. De esta manera quedarán con su sabor natural y estarán listas para servir.

CENTOLLA

Crustáceo que habita en los fondos del mar austral de Chile, muy apreciado por su fina y exquisita carne. Debe cocerse en lo posible tan pronto como llegue a puerto porque su delicada carne tiende a licuarse con facilidad. Esta se extrae usando tijeras para abrir la cubierta quitinosa. La preparación más adecuada para disfrutar de su fino sabor es servir su carne cocida fría con mayonesa.

SEA URCHIN

This reddish-colored echinoderm shellfish is covered with a semi-spherical, spiny shell. Not to be confused with their inedible relatives, black urchins, red urchins can grow to 5 to 8 inches in diameter and their 5 sex organs, called tongues, are a tremendous gastronomic delight. They are good sized between April and November; they are much smaller and less appetizing during the remaining months, however, when they spawn and release their sperm.

Preparation technique:

1. Place the urchin flat-side down and make a circular opening in the shell by tapping it with a heavy knife. Remove the top to expose the edible tongues.

2. Strain the juice into a separate container.

3. Carefully remove the tongues with your fingers and rinse them in the reserved juice to preserve their natural flavor and serve raw.

KING CRAB

This crustacean lives in the depths of Chile's southernmost seas and is very much appreciated for its delicious meat. King crabs should be cooked as fresh as possible because their delicate meat tends to liquefy very easily. Use kitchen shears to open the bony shell. The best way to enjoy its fine flavor is to serve the cooked and chilled meat with mayonnaise.

ENTRADAS
FIRST COURSES

TOMATES RELLENOS
STUFFED TOMATOES

Constituyen una bonita, fresca y apetitosa entrada cuyo relleno puede variar según los gustos de cada quien o de los ingredientes disponibles.

Ingredientes
para 6 personas
- 6 tomates
- 2 choclos frescos cocidos
- 2 cucharadas de mayonesa
- 1 atado de ciboulette picado
- ¼ kg de porotos verdes cocidos y picados
- 2 ajíes verdes sin pepas y picados
- 125 gr de asiento de picana cocido y picado
- 1 cucharadita de mostaza
- Sal y pimienta

Preparación ☺

1 Corte una circunferencia en el extremo opuesto al más plano de cada tomate. A través de esta abertura vacíe su interior con una cucharita, dejando la pared intacta. Espolvoree algo de sal en su interior y póngalos boca abajo para que escurra el jugo. Reserve la pulpa obtenida por si la utiliza como parte del relleno.

RELLENOS CON CHOCLO
2 Desgrane los choclos tiernos cocidos rebanándolos con cuchillo, mézclelos con mayonesa, ciboulette picado y pimienta y rellene los tomates vaciados. Decore el "copete" de choclo asomado por la abertura del tomate con tiritas de ciboulette y sírvalos sobre una cama de verduras.

RELLENOS CHACAREROS
3 Pique la pulpa obtenida del vaciamiento de los tomates, alíñela con aceite, sal y pimienta y déjela escurrir en un colador. Mezcle con los porotos verdes, ajíes y la carne, ligándolos con mayonesa y un toque de mostaza.

OTROS RELLENOS
Atún con cebollines y pulpa de tomates; porotos verdes con huevo duro molido; puré de palta con trocitos de tomate, ají verde y cebolla picados (guacamole).

This dish makes an attractive, refreshing, and delicious first course. The filling can be varied according to taste or the ingredients on hand.

Ingredients
serves 6
- 6 tomatoes
- 2 ears of corn, cooked
- 2 tablespoons mayonnaise
- 1 bunch chives, chopped
- ½ lb green beans, steamed and chopped
- 2 green chilies, seeded and chopped
- ¼ lb chuck steak, cooked and chopped
- 1 teaspoon mustard
- Salt and pepper

Preparation ☺

1 Cut off the top of each tomato. Scoop out the pulp with a spoon, leaving the thick wall intact. Sprinkle a little salt on the inside and place them upside down to allow the juice to run out. Reserve the pulp to use in the filling.

CORN FILLING
2 Cut the kernels from the corn cob with a knife. Mix them with mayonnaise, chopped chives, and pepper, and fill the tomatoes. Garnish with chives and serve on a bed of vegetables.

GARDEN FILLING
3 Chop the tomato pulp, season it with oil, salt and pepper, and let the mixture drain in a colander. Mix with the green beans, green chilies, beef, mayonnaise, and mustard.

OTHER FILLINGS
Tuna fish with green onions and tomato pulp; green beans with chopped hard-boiled egg; guacamole made with mashed avocado and chopped tomato, green chili, and onion.

SECRETO
ESCOJA TOMATES DE BUEN TAMAÑO, BIEN FORMADOS, MADUROS Y FIRMES.

SECRET
USE LARGE, WELL-FORMED TOMATOES THAT ARE RIPE AND FIRM.

PALTA REINA
STUFFED AVOCADOS

Antigua receta de palta rellena con pollo cocido y picado, mezclado con mayonesa. Con el tiempo se ha ido reemplazando el ave por otros rellenos, como colitas de camarones o langostinos, atún en conserva desmenuzado o paté.

Ingredientes
para 6 personas
– *3 paltas grandes maduras*
– *3 muslos de pollo*
– *3 cucharadas de mayonesa*
– *1 tarro de pimentón en conserva picado fino*
– *6 tiritas de pimentón fresco*
– *6 aceitunas negras cortadas a lo largo*
– *Jugo de ½ limón*
– *1 lechuga escarola*
– *Sal y pimienta*

Preparación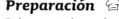
1 Pele y corte las paltas en dos a lo largo y retire el hueso y la cáscara. Sazónelas por dentro con sal y limón.
2 Condimente los muslos de pollo con sal y pimienta y póngalos en el horno fuerte por 15 minutos. Una vez cocidos pique su carne en trozos pequeños y mézclela con el pimentón y 1 ½ cucharadas de mayonesa.
3 Rellene abundantemente cada mitad de palta con la mezcla y decore con el resto de la mayonesa, una tira de pimentón fresco y tajaditas de aceitunas.
4 En una fuente acomode cada palta en el centro de una cama de hojas de lechuga.

This recipe is an old favorite that traditionally consisted of an avocado half filled with cooked and chopped chicken mixed with mayonnaise. More recent variations have replaced the chicken with shrimp, canned tuna, or pâté.

Ingredients
Serves 6
– *3 large ripe avocados*
– *3 chicken thighs*
– *3 tablespoons mayonnaise*
– *1 can roasted red peppers, finely chopped*
– *6 thin strips fresh green pepper*
– *6 black olives, sliced lengthwise*
– *Juice of ½ lemon*
– *1 head lettuce*
– *Salt and pepper*

Preparation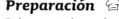
1 Cut the avocados in half lengthwise and remove the peel and pit. Season the inside with salt and pepper.
2 Season the chicken thighs with salt and pepper and place them in a hot oven for 15 minutes. Once cooked, debone and chop the meat into small pieces. Mix with the chopped canned peppers and 1 tablespoon mayonnaise.
3 Fill each avocado half to heaping with the mixture and garnish with the remaining mayonnaise, a pepper strip, and olives.
4 Arrange the avocado on a bed of lettuce leaves.

SECRETO
LA PALTA DEBE ESTAR MADURA, PERO FIRME, PARA PODER MANIPULARLA CON FACILIDAD SIN QUE PIERDA PRESTANCIA.

SECRET
USE AVOCADOS THAT ARE RIPE BUT FIRM IN ORDER TO HANDLE THEM EASILY WITHOUT DEFORMING THEM.

ENSALADA CHILENA
CHILEAN TOMATO SALAD

Aleación de tomates, cebollas y ají verde, presente en todo asado al aire libre y acompañante preferida del pescado frito.

Ingredientes
para 6 personas
– 1 ½ kg de tomates maduros firmes
– 2 cebollas medianas cortadas en pluma
– 3 ajíes verdes sin pepas ni venas y picados
– 2 cucharadas de aceite
– Sal

Preparación
1 Pele los tomates y pártalos en cascos, cubos o tajadas, agrégueles sal y manténgalos en un colador para que se elimine el exceso de jugo.
2 Mezcle las cebollas y el ají verde con los tomates reservados, aliñe con aceite y sal y sirva en una fuente.

This combination of tomatoes, onions, and green chilies is served at every Chilean barbecue and is the preferred accompaniment to fried fish.

Ingredients
serves 6
– 3⅓ lbs ripe tomatoes
– 2 medium onions, thinly sliced
– 3 green chilies, seeded, deveined, and chopped
– 2 tablespoons oil
– Salt

Preparation
1 Peel the tomatoes and quarter, slice, or dice them as preferred. Place them in a colander to eliminate excess juice.
2 Mix the chopped onion and chilies with the tomatoes and season with oil and salt.

SECRETO
RECUERDE QUE LOS AJOS Y LAS CEBOLLAS EN CHILE TIENEN MÁS POTENCIA SABÓRICA QUE EN EL RESTO DEL MUNDO. PARA SUAVIZAR, PONGA LAS CEBOLLAS PICADAS EN UN COLADOR Y LÁVELAS REPETIDAMENTE ANTES DE USAR.

SECRET
CHILEAN GARLIC AND ONIONS ARE STRONGER AND MORE FLAVORFUL THAN THOSE OF THE REST OF THE WORLD. MAKE THEM MILDER BY PLACING CHOPPED ONIONS IN A COLANDER AND RINSING REPEATEDLY BEFORE USE.

PEBRES
SALSAS

Un pebre es una salsa que mezcla vegetales crudos con pimienta, ajo, perejil y vinagre. Su sabor debe ser picante y bien condimentado usándose para sazonar diversos alimentos. El pebre de cilantro está presente en todo el país en cazuelas, mariscos crudos, especialmente el "mariscal", perniles cocidos calientes y "cocimientos" de interiores de vacunos y corderos típicos de estas regiones. Por su parte, el merquén es la denominación con que los mapuches designan el ají de cabra seco, algo ahumado, molido y ligeramente tostado, al que generalmente agregan semillas de cilantro trituradas. El pebre de merquén es muy adecuado para dar sabor y picor a platos como las papas con mote, los porotos granados o la ensalada chilena.

Ingredientes
para 6 personas
PEBRE DE CILANTRO
– 1 atado de cilantro picado
– 1 atado de cebollines picados, incluyendo la parte verde
– 2 ajíes verdes sin pepas y picados
– 1 cucharada de vinagre blanco
– 2 cucharadas de aceite
– Sal y pimienta negra

PEBRE DE MERQUÉN
– 8 ajíes cacho de cabra secos y sin pepas
– 2 cucharaditas de semillas de cilantro
– 2 cucharaditas de vinagre
– 1 cucharada de aceite
– Sal y pimienta negra

Preparación ☺
PEBRE DE CILANTRO
1 En una fuente mezcle el cilantro, los cebollines y los ajíes. Agregue pimienta, sal, aceite y vinagre.
2 Añada agua suficiente para dejarlo jugosito.

PEBRE DE MERQUÉN
1 Ponga los ajíes a tostar en horno caliente, sin que se pasen, observándolos hasta que se inicie el cambio de color, de rojo oscuro a guinda seca. Retírelos, córtelos en trocitos y muélalos en una procesadora junto con las semillas de cilantro.
2 Mezcle el polvo resultante con 1 cucharadita de agua, vinagre y aceite, más sal y pimienta; debe quedar espesito.

A 'pebre' is a spicy salsa mixture made with raw vegetables, black pepper, garlic, parsley, and vinegar and used as a seasoning with a variety of dishes. Cilantro pebre is common throughout the country and is used to flavor typical regional dishes such as the raw shellfish dish known as a 'mariscal,' as well as baked ham, lamb, and rich stews made of beef variety meats.
Merquén is a spicy pepper mixture of Mapuche origin made with dried smoked chili peppers that are ground and lightly toasted and usually mixed with crushed cilantro seeds. Merquén pebre is perfect for adding flavor and spice to dishes such as potatoes with wheat berries, legumes, and Chilean tomato salad.

Ingredients
serves 6
CILANTRO PEBRE
– 1 bunch cilantro, chopped
– 1 bunch green onions, chopped, including green tops
– 2 green chilies, seeded and chopped
– 1 tablespoon white vinegar
– 2 tablespoons oil
– Salt and pepper

MERQUÉN PEBRE
– 8 large dried red chili peppers, seeded
– 2 teaspoons coriander seeds
– 2 teaspoons vinegar
– 1 tablespoon oil
– Salt and black pepper

Preparation ☺
CILANTRO PEBRE
1 Mix the cilantro, green onions, and chili peppers. Add the pepper, salt, oil, and vinegar.
2 Add a little water to create some juice.

MERQUÉN PEBRE
1 Place the chili peppers on a baking sheet and toast in a hot oven; do not let them turn brown. Watch them closely, and remove them when they start to turn from dark to bright red. Cut them into pieces with kitchen shears and grind them in a food processor with the cilantro seeds.
2 Mix the resulting powder with 1 tablespoon each of water, vinegar, and oil, plus salt and pepper to form a thick salsa.

SECRETO
PARA PREPARAR PEBRE UTILICE SIEMPRE
PRODUCTOS FRESCOS Y PIMIENTA RECIÉN MOLIDA
ASÍ LOGRARÁ UN SABOR Y AROMA INTENSOS.

SECRET
ALWAYS USE FRESH PRODUCE AND FRESHLY-
GROUND PEPPER TO MAKE PEBRE TO GUARANTEE
ITS TYPICAL INTENSE FLAVOR AND AROMA.

CHANCHO EN PIEDRA
CHILEAN SALSA

Es una jugosa preparación de tomates bien maduros aromatizada con ajos y cilantro que se "chancan" en un amplio mortero de piedra. Es posible que su nombre provenga de la degeneración del verbo quechua "chancar" (en el mortero) que con el tiempo se abrevió como "chanco" y de ahí derivó en "chancho". En el verano se acostumbra que acompañe a los asados de costillar de chancho. Con crujientes marraquetas es muy buen aperitivo y servido en platillos de greda, constituye una espléndida entrada que puede preceder alguna comilona campesina.

Ingredientes
para 6 personas

– 1 ½ kg de tomates maduros pelados y picados gruesos
– 3 dientes grandes de ajo pelados
– 3 ajíes verdes
– 2 atados de cilantro picado fino
– 1 atado de perejil picado fino
– 2 cucharaditas de orégano seco picado fino
– ⅓ taza de aceite
– 1 ½ cucharadita de sal
– 10 granos de pimienta

Preparación ♟

1 En un mortero amplio de piedra ponga la sal, los ajos y los granos de pimienta y muela hasta obtener una pasta. Parta los ajíes a lo largo, elimine sus pepas y nervaduras, píquelos y muélalos en el mortero. Agregue el orégano, el perejil y el cilantro bien picados y continúe moliendo.
2 Incorpore 2 tomates picados a la molienda para que licuen la mezcla y vacíela en una fuente de greda, donde estarán el resto de los tomates pelados y trozados gruesamente. Añada el aceite y revuelva apretando y reventando los trozos de tomate. Corrija la sazón si es necesario.

This juicy salsa made with ripe tomatoes, garlic, and cilantro is traditionally ground in a large stone mortar. Its curious Spanish name 'Pig in Stone' is probably derived from the indigenous Quechua word 'chancar' (to grind in a mortar), which literallly makes this dish 'stone ground.' It is typically made in the summer to accompany grilled pork ribs or as a delicious appetizer served with crunchy baguette slices to soak up the juice. Or serve it in clay bowls for a splendid first course to precede a country-style feast.

Ingredients
serves 6

– 3 ⅓ lbs ripe tomatoes, peeled and coarsely chopped
– 3 large cloves garlic
– 3 green chilies, seeded, sliced, and chopped
– 2 bunches cilantro, finely chopped
– 1 bunch parsley, finely chopped
– 2 teaspoons dried oregano, finely chopped
– ⅓ cup oil
– 1 ½ teaspoons salt
– 10 black peppercorns

Preparation ♟

1 Place the garlic, salt, and peppercorns in a large mortar and grind into a paste with a pestle. Add the chilies and grind. Add the oregano, cilantro, and parsley and continue grinding until smooth.
2 Mix the paste with the equivalent of 2 tomatoes to blend. Empty the ground mixture into a clay bowl with the remaining tomatoes. Add the oil and mix well, mashing the tomato pieces. Correct the seasoning to taste.

SECRETO
PARA REALZAR EL AROMA DE ESTA PREPARACIÓN
PREFIERA EL ORÉGANO FRESCO.

SECRET
USE FRESH OREGANO TO HEIGHTEN
THE AROMA OF THIS DISH.

ARROLLADO HUASO
COUNTRY-STYLE PORK ROLL

Frío como entrada o caliente como plato principal, el arrollado de chancho es tan popular y prestigioso en Chile como las empanadas, porotos y cazuelas. Ya sea artesanal con sabor campesino o industrial con gustillo más refinado, su demanda es entusiasta por parte de los que disfrutan de nuestra cocina criolla.

Whether served cold as a first course or hot as the main dish, this pork roll is a Chilean favorite. Both the homemade variety with its typical country flavor and the more refined commercially-prepared version remain in high demand by all those who enjoy our Chilean cuisine.

Ingredientes
Para 6 personas
- 2 kg de lomo de cogote de cerdo
- Un trozo de cuero de cerdo de 30 x 40 cm
- 3 dientes de ajo
- 1 cucharada de vinagre
- ½ cucharadita de comino molido
- 2 cucharaditas de orégano
- 2 cucharaditas de ají de color
- Sal y pimienta
- 1 cucharada de salsa de ají

- Pitilla

Ingredients
serves 6
- 4 lbs pork loin
- 1 pig skin, 12 x 16 in
- 3 cloves garlic
- 1 tablespoon vinegar
- ½ teaspoon ground cumin
- 2 teaspoons oregano
- 2 teaspoons paprika
- Salt and pepper
- 1 tablespoon hot sauce

- Kitchen String

Preparación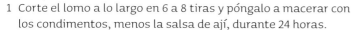
1 Corte el lomo a lo largo en 6 a 8 tiras y póngalo a macerar con los condimentos, menos la salsa de ají, durante 24 horas.
2 Si el cuero tuviera cerdas páselo por una llama. Luego extiéndalo sobre una mesa y coloque sobre un extremo todas las tiras de carne. Enrolle el cuero sobre ellas apretando bien con las manos. Recorte el exceso de cuero y amarre el arrollado con pitilla, haciendo primero 2 lazadas longitudinales cruzadas. Siga enrollando con la pitilla apretadamente, manteniendo 1 cm entre cada vuelta.
3 Introduzca el arrollado en una bolsa plástica, elimine todo el aire y ciérrela con un nudo ciego. Ponga a hervir este paquete durante 1 ½ hora en una olla a presión con agua suficiente para que flote holgadamente. Retire la olla del fuego, deje enfriar y traslade el paquete al refrigerador.
4 Cuando el caldo gelatinoso se haya enfriado y solidificado, abra la bolsa y retire el arrollado. Elimine la gelatina con las manos, desenrolle la pitilla y barnícelo con la salsa de ají.
5 Si desea servirlo caliente, retírelo de la olla cuando esté cocido y colóquelo en una fuente, abra el paquete de polietileno cuidadosamente para que no se derrame el caldo y corte en tajadas gruesas de 5 cm, sin desatar la pitilla para que no se desarmen las porciones. Sirva acompañado de papas cocidas y un pebre picantito.

Preparation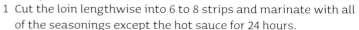
1 Cut the loin lengthwise into 6 to 8 strips and marinate with all of the seasonings except the hot sauce for 24 hours.
2 If the pig skin has bristles, pass it over a flame to burn them off. Spread the skin out over a table and place all of the meat strips on one end. Roll the skin over the strips, pressing tightly. Cut off excess skin and tie roll with white kitchen string, beginning by tying twice crosswise. Continue rolling tightly with the string, leaving ½ inch between each turn.
3 Place the roll in a plastic bag, eliminate all air and close it tightly with a knot. Place the bag in a pressure cooker, cover with water, and boil for 1 hour. Remove from heat, let cool, and refrigerate.
4 When the gelatinous broth inside the bag has cooled and solidified, open it and remove the roll, eliminating the gelatin with your hands. Remove the string and brush with hot sauce. It is now ready to serve.
5 To serve hot, remove the roll from the pot when it finishes cooking and place the bag in a serving dish. Open the bag carefully so that the broth does not spill out, and slice the meat into 2-inch thick slices without removing the string so that the slices remain intact. Serve with cooked potatoes and a spicy salsa.

SECRETO
RECUERDE COCER SIEMPRE EL ARROLLADO EN UNA BOLSA PLÁSTICA, PUES RESULTARÁ CON UN SABOR MÁS INTENSO AL NO DILUIRSE LOS CONDIMENTOS EN EL AGUA QUE LO RODEA, COMO ES HABITUAL.

SECRET
COOK PORK ROLLS IN PLASTIC BAGS TO PRESERVE THEIR INTENSE FLAVOR. THE TRADITIONAL METHOD OF BOILING THEM DIRECTLY IN WATER DILUTES BOTH FLAVORS AND SEASONINGS.

EMPANADAS DE HORNO
OVEN-BAKED EMPANADAS

La empanada de horno es un magnífico símbolo de la chilenidad, forma parte de numerosas actividades y es elemento fundamental en las celebraciones de las festividades patrias. Es el aperitivo acostumbrado en los asados y el plato tradicional de los domingos familiares y de las tardes deportivas en los estadios.

The oven-baked empanada is a magnificent symbol of 'Chilean-ness' and an important part of many activities. It is an essential element of Independence Day celebrations, the expected appetizer at barbecues, and a traditional part of Sunday dinners and sporting events.

Ingredientes
para 20 empanadas

PARA EL PINO
- 1 kg de asiento de picana picado en cubos de 1 cm
- 5 cebollas grandes picadas en cuadritos
- 4 cucharadas de manteca
- 1 cucharadita de comino
- 2 cucharadas de ají de color
- 2 cucharaditas de salsa de ají
- Sal y pimienta

PARA LA MASA
- 8 tazas de harina cernida
- 200 gr de manteca caliente
- Sal
- 1 cucharadita de ají de color mezclado con 1 cucharada de aceite

PARA EL RELLENO
- 20 aceitunas sajadas
- 40 pasas remojadas
- 4 huevos duros cortados en gajos

Ingredients
20 empanadas

FOR THE BEEF FILLING
- 2 ¼ lbs chuck roast or chuck steak, finely diced
- 5 large onions, chopped
- 4 tablespoons lard
- 1 teaspoon cumin
- 2 tablespoons paprika
- 2 teaspoons hot sauce
- Salt and pepper

FOR THE DOUGH
- 8 cups sifted flour
- 7 tablespoons lard, melted
- Salt
- 1 teaspoon paprika mixed with 1 tablespoon oil

FOR THE EMPANADA
- 20 black olives, rinsed
- 40 raisins, soaked
- 4 hard-boiled eggs, cut into wedges

Preparación

EL PINO
1. En una sartén fría la carne y la cebolla en manteca por 5 minutos hasta que se cuezan ligeramente. Aliñe con los demás ingredientes y deje enfriar.
2. Refrigere el pino para que no suelte jugo antes de tiempo.

LA MASA
1. Prepare una salmuera con ½ litro de agua caliente, mezcle con los demás ingredientes y amase bien.
2. Divida la masa en pelotas pequeñas y usleréelas hasta obtener un grosor de 2 mm. Corte circunferencias de 15 cm de diámetro.

LA EMPANADA
1. En cada masa ponga 2 cucharadas de pino, 1 trozo de huevo duro, 1 aceituna y 2 pasas. Moje el borde de la masa con agua tibia y doble una mitad sobre la otra. Oprima el contorno y pliegue este borde sobre la empanada.
2. Cocine en horno, precalentado a temperatura media, por 15 minutos. Repóselas 10 minutos cubiertas con un paño.

Preparation

BEEF FILLING
1. Sauté the beef and onion in lard for 5 minutes until the onions are translucent. Add remaining filling ingredients and let cool.
2. Refrigerate the mixture to retain the juice so that it will only be released inside the empanada.

THE DOUGH
1. Mix ½ quart of hot water with salt. Add remaining ingredients and knead well.
2. Divide the dough into small balls and roll out on a floured surface to ⅛-inch thick. Cut into 6-inch rounds.

THE EMPANADA
1. In the center of each round, place 2 tablespoons of meat mixture, 1 piece of hard-boiled egg, 1 olive, and 2 raisins. Moisten the edges with warm water and fold in half. Fold the edges over and press together firmly.
2. Bake in a pre-heated medium-temperature oven for 15 minutes or until nicely browned. Remove from oven, cover with a clean kitchen towel, and let rest 10 minutes before serving.

SECRETO
EVITE USAR CEBOLLAS NUEVAS PARA EL PINO, POR SER MUY AGUACHENTAS Y DESABRIDAS.

SECRET
DO NOT USE NEW ONIONS IN THE MEAT MIXTURE; THEY ARE WATERY AND FLAVORLESS.

EMPANADAS FRITAS
FRIED EMPANADAS

Los chilenos adoran estas empanadas, sabrosas y rellenas de queso, carne o mariscos. Esta versión frita, de masa crujiente y dorada, es absolutamente irresistible.

Ingredientes
para 12 empanadas

PARA LA MASA
- 3 tazas de harina cernida
- 60 gr de manteca derretida
- 1 taza de leche o agua caliente
- 1 cucharadita de polvos de hornear
- 1 cucharadita de sal

PARA LOS RELLENOS

PINO: Se prepara igual que el de las empanadas de horno, pero sin pasas ni aceitunas. La carne y las cebollas se pican más finas y se fríen un poco más.

QUESO: El ideal es un trozo de queso chanco de buena calidad, de 1 cm de espesor o según el tamaño que le dé a la empanada.

PULPO, LOCO, LAPAS, JIBIA, CARACOLES Y NAVAJUELAS: Pique en cuadritos finos 1 cebolla grande y fríala en aceite. Sazone con sal y pimienta, 2 cucharaditas de salsa de ají y 2 de ají de color. Agregue 2 tazas de alguno de los mariscos cocidos y picados. Deje enfriar.

Preparación 👨‍🍳👨‍🍳👨‍🍳

LA MASA
1 Forme un cono de harina, hágale un cráter y vacíe en él la manteca y leche calientes, revolviendo con una cuchara. Amase cuando la temperatura de la mezcla lo permita. Una vez que la masa esté en su punto (blanda, elástica y tibia) envuélvala en un paño de cocina para que no se enfríe.

LA EMPANADA
1 Usleree porciones de la masa, si las quiere pequeñas haga una tira larga y angosta, de grosor no mayor a 1 mm.
2 Coloque montoncitos de relleno cada 7 cm en la línea media de la faja de masa y humedezca con el dedo la superficie alrededor de cada montículo.
3 Pliegue longitudinalmente la masa, haciendo coincidir los dos bordes y presione alrededor de cada relleno, uniendo así ambas capas de masa. Se formarán 6 empanaditas que debe recortar con una ruleta. Repita.
4 Fría las empanadas en aceite bien caliente, suficiente para que floten y no se peguen en el fondo de la olla. Cuando se vean de un dorado parejo retírelas con una espumadera y déjelas sobre una fuente con papel absorbente.

SECRETO

SI EL RELLENO ES DE MARISCOS EVITE QUE ESTE SEA MUY JUGOSO, PORQUE SI LA EMPANADA SE ABRE DURANTE LA FRITURA, EXPLOTARÁ.

Chileans love these empanadas: tasty stuffed turnovers filled with cheese, meat, or shellfish. Some are baked, but this version is fried until the pastry is crisp and golden. Serve empanadas piping hot for an irresistible treat.

Ingredients
12 empanadas

FOR THE DOUGH
- 3 cups flour, sifted
- 2 tablespoons lard, melted
- 1 cup warm milk or water
- 1 teaspoon baking powder
- 1 teaspoon salt

FOR THE FILLING

BEEF FILLING: Use the filling recipe found in Oven-Baked Empanadas, omitting the raisins and olives. Chop the beef and onions more finely and fry them a little longer to produce a finer, drier filling.

CHEESE FILLING: Use good quality cheese cut into ½-inch chunks.

SEAFOOD FILLING: Finely chop a large onion and sauté lightly in hot oil. Season with salt, pepper, and 2 teaspoons each of hot sauce and paprika. Add 2 cups of cooked and chopped seafood, such as octopus, abalone, barnacles, or snails. Cool before using.

Preparation 👨‍🍳👨‍🍳👨‍🍳

FOR THE PASTRY
1 Pour flour into a mound on a work surface. Form a crater in the center and pour the warm milk and lard into the middle. Stir with a spoon to blend, and then knead the dough until it is cool, soft, and elastic. Wrap in a clean towel to keep it warm.

THE EMPANADA
1 For small or medium sized empanadas, roll the dough out to form a rectangle 18 long and 3 inches wide. The dough should be very thin.
2 Place spoonfuls of filling every 2 ½ inches along the length of the dough. Dampen a finger with water and moisten the dough around the filling.
3 Fold the dough in half lengthwise, matching the edges, and press around each mound of filling with your hands to join. Use a pastry cutter to form 6 empanadas. Repeat.
4 Heat the oil in a large pan and when very hot, carefully add the empanadas, a few at a time. They should float freely without sticking to each other or the bottom of the pan. When they are golden brown, remove them with a slotted spoon and drain on paper towels.

SECRET

PREVENT PAINFUL SPLATTER BURNS WHEN FRYING SHELLFISH EMPANADAS BY DRAINING THE FILLING WELL BEFORE SEALING THE EMPANADAS.

SECRETOS
DE LA COCINA
CHILENA

ERIZOS EN SALSA VERDE
SEA URCHINS WITH GREEN SAUCE

Las lenguas de los erizos no son otra cosa que las gónadas o glándulas sexuales de este equinodermo. Durante su período reproductivo, que va de diciembre a marzo, estas "lenguas" se reducen de tamaño en gran medida y se ponen lechosas, por lo que no es aconsejable consumirlas en esta época.

Ingredientes
para 4 personas
– 8 erizos grandes (10 lenguas por persona)
– 1 cebolla mediana picada en cuadritos
– 1 paquete de perejil picado fino
– Jugo de 4 limones
– 1 pan de molde en rebanadas
– ⅛ kg de mantequilla

Preparación
1 Abra el erizo fracturando la parte superior en forma circular, usando un cuchillo pesado. Recoja en un recipiente el jugo que fluya.
2 Desprenda las lenguas cuidadosamente con los dedos. Lávelas en el jugo reservado. De esta manera quedarán con su sabor natural.
3 Disponga 10 lenguas en cada plato con 3 cucharadas del jugo de erizo colado.
4 Haga una salsa verde mezclando la cebolla con el perejil y el jugo de limón. Alíñela con sal a gusto y distribúyala en los platos con los erizos.
5 Sirva acompañado de tostadas de pan de molde enmantequilladas y vino blanco bien frío.

Sea urchin 'tongues' are nothing other than their gonads or roe. It is best to avoid them during their reproductive stage from December to March (in the southern hemisphere), when the tongues shrink considerably in size and become milky.

Ingredients
serves 4
– 8 large sea urchin tongues (10 per person)
– 1 medium onion, minced
– 1 bunch parsley, minced
– Juice of 4 lemons
– 1 loaf sliced bread, toasted
– ¼ lb butter

Preparation
1 Open the sea urchins using a heavy knife to break the top in a circular manner. Strain the juice into a separate container.
2 Carefully remove the tongues with your fingers and rinse them in the reserved juice to preserve their natural flavor.
3 Arrange 10 pieces on each plate with 3 tablespoons of strained sea urchin juice.
4 Make a green salsa by mixing the onion with the parsley and lemon juice. Add salt to taste and divide among the serving plates with the sea urchins.
5 Serve with buttered toast and chilled white wine.

SECRETO
USE EL JUGO SOBRANTE DEL ERIZO COLADO PARA LAVAR LAS LENGUAS. NO USE AGUA DULCE EN ESTE ASEO, PORQUE EL EXQUISITO SABOR DE LAS LENGUAS SE DETERIORA DE FORMA LAMENTABLE.

SECRET
STRAIN AND USE THE SEA URCHIN JUICE TO WASH THE URCHINS. DO NOT USE WATER AS IT WILL DILUTE THEIR DELICIOUS FLAVOR.

LOCOS MAYO
ABALONE WITH MAYO

El loco "*Concholepas concholepas*" es un molusco gastrópodo que se encuentra a lo largo de la costa de todo Chile. Se considera que el loco tiene un tamaño adecuado cuando el largo de su concha es al menos de 10 cm. Este apetecido marisco tiene fama por su extraordinario sabor y consistencia.

The Chilean abalone '*Concholepas concholepas*' is a gastropod mollusk found all along the coast of Chile and is ready for harvest when its shell reaches a minimum of 4 inches in diameter. This well-loved shellfish is famous for its extraordinary flavor and consistency.

Ingredientes
para 6 personas
- 12 locos frescos de buen tamaño
- 1 taza de mayonesa
- 6 tiritas de tomates
- 2 lechugas costinas
- 3 limones

Ingredients
serves 6
- 12 good-sized fresh abalones
- 1 cup mayonnaise
- 6 strips of tomatoes
- 2 heads of leaf lettuce
- 3 lemons

Preparación 👨‍🍳👨‍🍳

1. Desprenda el loco de su concha usando una cuña de madera o metal. Separe y elimine las vísceras. Es recomendable el uso de guantes protectores de goma para evitar impregnarse del fuerte olor visceral y del colorante violáceo.
2. Retire la uñeta ayudándose con un cuchillo.
3. Para ablandar los locos debe propinarles un apaleo que rompa su firme trama fibrosa, pero con la moderación necesaria para que conserven su forma natural. Para este objetivo puede usar una cámara de automóvil en la cual colocará no más de 30 locos. Agregue 2 puñados de sal y comience a golpear la cámara contra una superficie sólida, dando entre 80 y 100 golpes. Otra alternativa, aunque menos práctica, es golpearlos individualmente con un mazo de madera. Debe darles la misma cantidad de golpes por todos sus lados hasta que los sienta blandos al tacto.
4. Lávelos y escobíllelos con agua corriente.
5. En una olla a presión con agua hirviendo sazonada, coloque los locos y déjelos cocerse durante 45 minutos. Deje enfriar, retírelos y consérvelos dentro de su jugo para evitar que se resequen.
6. En el centro del plato de entrada ponga 2 locos, corónelos con un copete de mayonesa bien compacta y rodéelos con lechuga. Decore con tiritas de tomate o perejil picado y acompañe con limones partidos por la mitad.

Preparation 👨‍🍳👨‍🍳

1. Remove the abalone from its shell with a wooden or metal wedge. Separate and eliminate the viscera. Wearing rubber gloves will protect your hands from the strong smell and the violet color of the viscera.
2. Remove the foot with a knife.
3. Tenderize the abalones by beating them gently to break up their fibrous tissue, but without distorting their shape. A common method is to place no more than 30 in an inner tube with a couple handfuls of salt and then whack the tube against a hard surface 80 to 100 times. Another, less practical, alternative is to beat each one on all sides with a wooden mallet, again, 80–100 times until it feels soft to the touch.
4. Scrub the beaten abalone under running water to remove the salt.
5. Bring water to a boil in a pressure cooker, add the abalone, seal, and cook for 45 minutes. Allow to cool and transfer them to another container along with their cooking liquid to prevent them from drying out.
6. Place 2 abalones in the center of each serving plate. Top each with a small dollop of mayonnaise and surround them with lettuce. Garnish with strips of tomato or chopped parsley and serve with lemon halves.

SECRETO
PREFIERA SIEMPRE LOCOS FRESCOS, O CONGELADOS QUE HAYAN SIDO ABLANDADOS Y COCIDOS ANTERIORMENTE. NO COMPRE LOCOS CONGELADOS SIN PREVIA PREPARACIÓN, PUES RESULTARÁN DUROS AUNQUE LOS GOLPEE ETERNAMENTE.

SECRET
SELECT FRESH ABALONE WHENEVER POSSIBLE. IF USING FROZEN ABALONE, BE SURE IT HAS BEEN SOFTENED AND PRECOOKED BEFOREHAND, OTHERWISE IT WILL REMAIN TOUGH NO MATTER HOW LONG YOU POUND IT.

MACHAS A LA PARMESANA
RAZOR CLAMS PARMESAN

Esta es una apetecida entrada caliente que se ofrece en todos los restaurantes de las costas chilenas. Para una preparación de primera, el queso parmesano debe ser de la mejor calidad y es recomendable golpear varias veces la lengua de cada macha, para impedir que se endurezca si se pasan de cocidas.

Ingredientes
para 6 personas
– *36 machas grandes*
– *3 cucharadas de queso parmesano rallado*
– *125 gr de mantequilla*
– *2 limones*

Preparación
1 Abra las machas con un cuchillo firme y desprenda las lenguas completamente. Separe las conchas, límpielas y reserve.
2 Lave las lenguas para eliminar la arena. Haga una incisión en el abdomen de cada una para eliminar el contenido intestinal de color verde negruzco, apretándolas con los dedos. Golpéelas varias veces con el mango de un cuchillo, o todas juntas en una bolsa de plástico contra la superficie de una mesa.
3 Coloque una lengua en cada concha sobre una bandeja del horno. Agrégueles un trocito de mantequilla y cúbralas espolvoreándolas con el queso parmesano. Cocine en horno, a temperatura alta, por 5 minutos. Si no tiene queso parmesano, reemplácelo por queso chanco cortado en finas láminas.
4 Sirva 6 machas en cada plato y acompañe con limón para agregar a gusto.

This is a favorite hot appetizer in restaurants all along the Chilean coast. For a top-rate preparation, use the finest quality, freshly-grated Parmesan cheese. Pounding the clams before cooking will help prevent them from toughening in the oven.

Ingredients
serves 6
– *36 large razor clams*
– *2 tablespoons grated Parmesan cheese*
– *4 tablespoons butter*
– *2 lemons*

Preparation
1 Open the clams with an oyster knife and loosen the flesh from the shell. Separate the shell halves. Wash the bottom halves of each and reserve.
2 Wash the clams well to remove any sand. Make an incision in the abdomen of each clam and squeeze out the greenish-black intestine with your fingers. Pound each clam several times with the handle of a knife or put them all in a plastic bag and whack them against a table top.
3 Arrange the clams, one per shell, on a baking sheet. Dot each with butter, and sprinkle with grated parmesan or other cheese sliced thinly. Place them in a hot oven for 5 minutes.
4 Serve 6 clams per person and pass lemons to be squeezed to taste.

SECRETO
RETIRE LAS MACHAS DEL HORNO APENAS LAS LENGUAS SE PONGAN ROSADAS. SI PERMANECEN MÁS TIEMPO SE PONDRÁN DURAS.

SECRET
REMOVE THE CLAMS FROM THE OVEN AS SOON AS THEY BEGIN TO TURN PINK OR THEY WILL BECOME TOUGH.

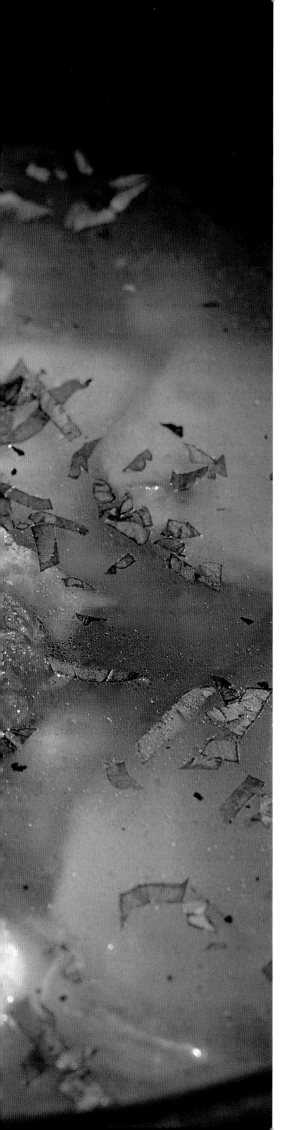

CAZUELAS Y SOPAS
CAZUELAS AND SOUPS

CAZUELA DE VACUNO
BEEF CAZUELA

El término "cazuela" se aplicaba en la antigüedad a la olla en que se preparaban los cocimientos. En Chile la palabra "cazuela" quedó como denominación exclusiva de la receta clásica que entrego a continuación. Variadas carnes de bovinos son utilizadas para preparar esta cazuela, siendo mi preferida la del costillar, más conocida actualmente como "asado de tira".

Ingredientes
para 6 personas
– 2 kg de asado de tira
– 6 papas grandes
– ¾ kg de zapallo
– 300 gr de porotos verdes
– 1 zanahoria grande cortada en juliana
– ½ pimentón rojo cortado en juliana
– 2 choclos
– 1 cebolla chica
– 2 puerros
– 3 cucharadas de arroz

ALIÑOS
– 2 dientes de ajo
– 1 pizca de orégano
– 1 ramita de tomillo
– Sal y pimienta negra entera

Preparación

1 Pele las papas y póngalas en un bol con agua fría, donde irán todos los vegetales ya procesados antes de ponerlos a hervir. Pele y corte el zapallo en 6 trozos grandes. Corte los porotos verdes a lo largo, retirándoles las puntas y la nervadura. También los choclos y los puerros en 3 trozos cada uno.
2 Cueza la carne en 1 ½ litro de agua sazonada con los aliños, en una olla que permita la inclusión holgada de todos los componentes. Una vez que la carne esté tierna agregue los demás ingredientes en el orden establecido por su tiempo necesario de cocción: primero el pimentón y la zanahoria, luego las papas y el arroz, después el choclo, el zapallo y por último los porotos verdes. Cocine por 15 minutos más y estará lista la cazuela.
3 Lleve al comedor los platos servidos con un trozo de cada ingrediente y suficiente caldo. Sirva acompañado con ajíes verdes sin pepas, ají cacho de cabra y cilantro o perejil picado para agregar a gusto.

The word 'cazuela' originally referred to the large pot used for cooking stews. In Chile today, however, the word is used exclusively to refer to the classic recipe below. It is similar to beef stew, but with a rich broth instead of gravy. A number of different beef cuts may be used, but I prefer short ribs.

Ingredients
serves 6
- 4 ½ lbs short ribs
- 6 large potatoes
- 1 ⅔ lbs pumpkin or winter squash
- ¾ lb green beans
- 1 large carrot, in thin strips
- ½ red bell pepper, in thin strips
- 2 ears corn
- ½ small onion
- 2 leeks
- 3 tablespoons rice

SEASONINGS
- 2 cloves garlic
- Pinch oregano
- 1 small bunch thyme
- Salt and whole black peppercorns

Preparation

1 Peel the potatoes and place them in cold water along with all of the other vegetables until ready to cook. Peel the pumpkin and cut it into 6 large pieces. Cut the green beans lengthwise, removing tips and strings. Cut the ears of corn and the leeks into 3 pieces each.
2 Boil the beef in 1 ½ quarts of water with seasonings in a pot large enough to hold all of the ingredients. Once the beef is tender, add the remaining ingredients in the order listed to allow for proper cooking time. Begin with the pepper and carrots, and then add the potatoes and rice, followed by the corn, and ending with the green beans and pumpkin. Continue to cook another 15 minutes after adding the final ingredients.
3 Ladle one of each ingredient plus abundant broth into each bowl and serve with seeded green chilies, dried red peppers, and minced cilantro or parsley to taste.

SECRETO
PREFIERA LA CARNE CON HUESO, PARA OBTENER UNA CAZUELA MÁS SABROSA Y SUSTANCIOSA.

SECRET
FOR THICKER AND MORE FLAVORFUL SOUPS AND STEWS, ALWAYS USE BEEF WITH THE BONE IN.

CAZUELA DE PAVA CON CHUCHOCA
TURKEY CAZUELA WITH POLENTA

Este famoso plato tradicional puede disfrutarse en cualquier época del año. Sin embargo se acostumbra prepararlo en invierno, entre los meses de junio y julio, tal como nos recuerda la pronunciación, con voz aguda, del grito de los pavos. Para alcanzar esta gloria culinaria recomiendo conseguir una pava gorda y que además sea de campo. En caso contrario compre muslos gruesos de pavo de buen tamaño y córtelos en 2 a lo largo, dejando el hueso en una de las mitades. Debo advertirle que cuando estas aves son de criadero, deberá despojarlas de la piel y la grasa, para destacar el sabor de su carne.

Ingredientes
para 10 personas

– 1 pava despresada o 5 muslos de pavo
– ½ cebolla cortada en pluma
– 10 tiras de zanahoria
– 10 papas enteras peladas
– 5 cucharadas de chuchoca remojada

ALIÑOS
– 1 ramito de cilantro
– Sal y pimienta

Preparación 👨‍🍳👨‍🍳

1 En una olla cueza las presas de pava en 3 litros de agua sazonada durante 1 hora. Cuando compruebe que la carne está tierna agregue el resto de los ingredientes. Siga cocinando por unos 20 minutos más, hasta que las papas estén a punto.
2 Sirva cada plato espolvoreado con cilantro picado muy fino y ¡a saborear se ha dicho, señores!

VARIANTE "NOGADA"

1 La cazuela de pava, al igual que la de gallina, puede hacerse nogada, reemplazando la chuchoca por nueces peladas y molidas.
2 Coloque las nueces sobre una bandeja en el horno durante 5 minutos para tostarlas levemente. Frótelas enérgicamente con un paño para soltar la cutícula que las cubre y elimínelas soplando. Luego píquelas y agréguelas a la cazuela en vez de la chuchoca.

This much-loved traditional dish can be enjoyed year-round, although it is most commonly prepared in the winter.
For true success with this culinary delight, I prefer a fat turkey hen fresh from the countryside. Otherwise, buy good-sized meaty turkey thighs and cut them in half lengthwise, leaving the bone attached to one half. If you are using commercially-bought poultry, remove the skin and fat to heighten the flavor of the meat.

Ingredients
serves 10

– 1 turkey, cut into pieces, or 5 turkey thighs
– ½ onion, sliced
– 10 carrot sticks
– 10 whole potatoes, peeled
– 5 tablespoons polenta or corn meal, moistened

SEASONINGS
– 1 small bunch cilantro, finely minced
– Salt and pepper

Preparation 👨‍🍳👨‍🍳

1 Simmer the turkey in 3 quarts of salted water for 1 hour. When cooked through and the meat is tender, add the remaining ingredients. Continue simmering another 20 minutes until the potatoes are just cooked.
2 Serve and sprinkle each dish with minced cilantro and enjoy!

WALNUT VARIATION

1 Turkey or chicken cazuela can be made with a nut sauce by replacing the corn meal with peeled, ground walnuts.
2 Lightly toast the walnuts on a baking sheet and place in a hot oven for 5 minutes; remove and rub briskly with a clean cloth to loosen and separate the skin. Grind the nuts and use in place of the corn meal.

SECRETO
PARA REALZAR EL SABOR "NOGADO" DORE
LIGERAMENTE LAS NUECES PELADAS EN 2 CUCHARADAS
DE ACEITE Y LUEGO FRÓTELAS CON PAPEL ABSORBENTE
PARA ELIMINAR EL EXCESO DE ACEITE.

SECRET
HEIGHTEN THE NUTTY FLAVOR OF THE DISH BY
LIGHTLY BROWNING THE PEELED WALNUTS IN TWO
TABLESPOONS OF OIL AND THEN RUBBING THEM
WITH PAPER TOWELS TO REMOVE THE EXCESS OIL.

CARBONADA
ANDEAN VEGETABLE BEEF SOUP

Plato de consumo habitual, sabrosón, económico y cuyos ingredientes varían según la estación y las distintas adaptaciones de esta receta a lo largo de Chile. Una de ellas es la "carbonada seca" que se obtiene al reducir la cantidad de agua, con lo que resulta un guiso muy recomendable.

Otra variante es el "cutriaco" que es de origen Mapuche ("cutrún": coger verduras, más "co": agua). Contiene muy poca carne y abundantes verduras, especialmente yuyo, acelga, repollo y choclo desgranado.

Ingredientes
para 8 personas

- 1 kg de asiento de picana picado en cubitos de 1 cm
- 1 zanahoria grande picada fina
- ½ cebolla picada
- 2 litros de agua hirviendo
- 3 papas grandes peladas y picadas
- ¼ kg de porotos verdes partidos
- 1 taza de arvejitas
- 3 cucharadas colmadas de arroz
- Aceite para freír

ALIÑOS
- 2 dientes de ajo picado fino
- Orégano
- Ají de color
- Sal y pimienta

Preparación

1 En una olla grande caliente el aceite, añada la carne y fríala hasta que se dore. Agregue la zanahoria picada del mismo tamaño y siga friendo, luego la cebolla, el ajo, una pizca de orégano, el ají de color, sal y pimienta.
2 Añada el agua y cueza durante 45 minutos hasta que la carne esté blanda. Luego agregue las papas, los porotos verdes, las arvejitas y el arroz. Continúe cocinando durante 20 minutos o hasta que las papas se ablanden.

VARIANTE "CARBONADA SECA"

1 Aumente proporcionalmente la cantidad de ingredientes para que alcance para 8 personas, puesto que al disminuir el agua se reduce el volumen del guiso.
2 Cocine la carbonada con el mismo procedimiento descrito para la versión con caldo.
3 Al momento de agregar el agua reduzca la cantidad a 2 tazas. Una vez listo rocíe cada plato con "la color", es decir, aceite coloreado con pimentón seco molido.

This is a typical, flavorful, and inexpensive soup whose ingredients vary with the season and region. A favorite variation is the 'Dry Carbonada' made by reducing the amount of water used for a very appetizing stew.

Another variation is the 'Cutriaco,' a compound Mapuche word ('cutrún': to pick vegetables plus 'co': water). It has very little meat and plenty of vegetables such as swiss chard, cabbage, and corn.

Ingredients
serves 8

- 2 ¼ lbs chuck roast, finely diced
- 1 large carrot, diced
- ½ onion, diced
- 3 large potatoes, peeled and diced
- ½ lb green beans, sliced lengthwise
- 1 cup green peas
- 3 heaping tablespoons rice
- Oil for sautéeing

SEASONINGS
- 2 cloves garlic, minced
- Pinch oregano
- Paprika
- Salt and pepper

Preparation

1 Heat the oil in a large pot; add the beef and brown. Add the carrot and continue sautéing. Then add the onion, garlic, oregano, paprika, and salt and pepper.
2 Add 2 quarts of boiling water and simmer for 45 minutes or until the meat is tender. Then add the potatoes, green beans, fresh peas, and rice. Continue cooking another 20 minutes or until the potatoes are tender.

'DRY CARBONADA' VARIATION

1 Reducing the amount of water will reduce the volume of the dish, so increase the quantities of the other ingredients proportionally to serve 8 people.
2 Cook the carbonada as above, using just 2 cups of water.
3 When ready to serve, prepare a 'coloring' by mixing oil with paprika and drizzle on top of each dish.

SECRETO
PARA REALZAR EL SABOR DE ESTE PLATO AGREGUE
UNA CUCHARADITA DE COMINO MOLIDO.

SECRET
INCREASE THE FLAVOR OF THIS DISH BY ADDING
A TEASPOON OF GROUND CUMIN.

AJIACO
BARBECUE SOUP

Cuando le ha sobrado carne de un asado a la parrilla o al horno, puede preparar esta sopa muy sabrosa y reconfortante. Si no hay sobras de asado, compre un trozo de carne de vacuno, asiento, lomo o posta, alíñelo con ajo, sal y pimienta y luego ásela.

Ingredientes
para 6 personas
- ½ kg de carne asada
- ¾ kg de papas peladas y cortadas a lo largo
- 2 cebollas grandes cortadas en pluma
- 3 huevos duros cortados en rodajas
- 3 cucharadas de aceite
- 1 litro de agua o caldo de huesos

  ALIÑOS
- 1 cucharadita de ají de color
- 1 diente de ajo molido
- 2 cucharadas de perejil picado fino
- 1 ají verde sin pepas y partido en dos
- Sal, comino y orégano

Preparación
1 Corte la carne asada en tiras de 4 cm de largo y un dedo de ancho.
2 En una sartén grande fría la cebolla en aceite y alíñela con sal, ají de color, comino, ajo y una pizca de orégano. Agregue las papas cortadas, luego la carne y cuando todo esté doradito y el aroma indique su punto culminante, traslade el frito a una olla. Agregue 1 litro de agua hirviendo o caldo de huesos y deje cocer a fuego lento durante 30 minutos.
3 Antes de terminar esta obra, añada el ají verde y el perejil.
4 En el fondo de una sopera coloque rodajas de huevo duro y sobre ellas vierta esta sabrosa preparación.

This very flavorful and filling soup is traditionally prepared with beef leftover from a barbecue. It can also be made from scratch by roasting beef seasoned with garlic, salt, and pepper.

Ingredients
serves 6
- 1 lb roast or grilled beef
- 1 ½ lbs potatoes, peeled and cut lengthwise
- 2 large onions, sliced
- 3 hard-boiled eggs sliced into rounds
- 3 tablespoons oil
- 1 quart water or beef stock

  SEASONINGS
- 1 teaspoon paprika
- 1 clove garlic, crushed
- 2 tablespoons parsley, minced
- 1 green chili, seeded and halved lengthwise
- Salt, cumin, and oregano

Preparation
1 Cut the beef into strips 1 ½ inches long and the width of a finger.
2 Sauté the onion in oil and season it with paprika, garlic, and a pinch of oregano. Add the potatoes, then the meat. When the mixture is browned and aromatic, transfer it to a large pot. Add the water or beef stock and simmer for 30 minutes.
3 Add the green chili and minced parsley at the end of the cooking time.
4 Place the egg rounds in the bottom of each soup dish and ladle this delicious soup on top.

SECRETO
SI EL ASADO FUE PREPARADO AL HORNO
DISUELVA LOS JUGOS Y GRASAS RESIDUALES
CON UNA TAZA DE AGUA HIRVIENDO Y
AGRÉGUELOS A LA PREPARACIÓN.

SECRET
IF THE BEEF WAS ROASTED IN THE OVEN,
DISSOLVE THE PAN JUICES IN
A CUP OF BOILING WATER AND ADD
IT TO THE SOUP.

VALDIVIANO
VALDIVIAN JERKY SOUP

Cuando la fiesta de la noche anterior estuvo muy "regada" y amanece con la cabeza embolada, corto de ánimo y lengua estropajosa, prepárese este caldillo reanimador y verá cómo revive, igual que una planta marchita a la que se le pone agua.

Esta receta debe su nombre a que, en tiempos de la colonia, la guarnición acantonada en la aislada ciudad de Valdivia recibía en su rancho con gran frecuencia esta sopa con cebollas y charqui, traídos en barco desde Valparaíso. Esta carne seca era la única disponible pues la ganadería no existía en esas lejanías.

When you wake up the day after a 'well-irrigated' party in a bad mood with a splitting headache and a thick tongue, this soup is just what the doctor orderd. It will bring you back to life like a wilted flower in fresh water.

This recipe is handed down from colonial times when the Spanish troops quartered in the isolated southern city of Valdivia were often fed this soup made with onion and jerky shipped in from Valparaiso. Dried meat was the only kind available as cattle had not yet arrived reached this in territory so far from the capital.

Ingredientes
para 6 personas
– ¼ kg de charqui
– 4 cebollas medianas cortadas en pluma
– 2 ajíes verdes picantes sin pepas y partidos en dos
– 6 huevos
– 4 cucharadas de aceite

ALIÑOS
– Ají de color
– 1 cucharadita de orégano
– Una pizca de comino molido
– 1 cubito de concentrado de carne
– 1 cucharada de perejil picado fino
– Jugo de ½ limón o 1 naranja agria
– Sal

Ingredients
serves 6
– ½ lb beef jerky
– 4 medium onions, sliced
– 2 hot green chilies, seeded and split in half
– 6 eggs
– 4 tablespoons oil

SEASONINGS
– Paprika
– 1 teaspoon oregano
– 1 pinch ground cumin
– 1 beef bullion cube
– 1 tablespoon parsley, minced
– Juice of ½ lemon or 1 bitter orange
– Salt

Preparación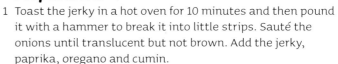

1 En una lata ponga el charqui a asar en horno fuerte por unos 10 minutos y luego macháquelo con un mazo para desarmarlo y desmenuzarlo en tiritas. En una sartén fría las cebollas picadas en aceite, sin que se doren; agregue el charqui, el ají de color, algo de orégano y comino.

2 En una olla con 1 ½ litro de agua hirviendo disuelva un cubito de concentrado de carne de vacuno, agregue todo el frito y haga hervir por 1 hora. Luego incorpore los ajíes verdes, el perejil y el jugo de limón o el jugo de una naranja agria.

3 Quiebre cada huevo sin que se rompa la yema para que queden escalfados y vácielos en el cucharón sopero. Luego introdúzcalos en la olla hasta que se cuezan.

4 Retire los huevos con cuidado y ponga 1 en cada plato sopero. Llénelos con la sopa y sirva de inmediato.

Preparation

1 Toast the jerky in a hot oven for 10 minutes and then pound it with a hammer to break it into little strips. Sauté the onions until translucent but not brown. Add the jerky, paprika, oregano and cumin.

2 Dissolve the bullion cube in 1 ½ quarts of boiling water. Add the sautéed ingredients and simmer for 1 hour. Add the green chilies, parsley, and citrus juice.

3 Poach the eggs by breaking them into a soup spoon, one at a time, and carefully lowering it into the pot. Poach them in the broth without breaking the yolk.

4 Carefully remove the eggs and place one in each soup bowl. Ladle the soup over the eggs and serve immediately.

SECRETO
SUSPENDA LA EBULLICIÓN DE LA SOPA ANTES
DE LA COLOCACIÓN DE LOS HUEVOS EN LA OLLA,
PARA EVITAR SU DISPERSIÓN. REANUDE LA
COCCIÓN POR 2 MINUTOS ANTES DE SERVIR.

SECRET
LOWER THE HEAT BEFORE ADDING THE EGGS TO
THE POT SO THEY KEEP THEIR SHAPE. TURN THE
HEAT BACK UP AND COOK FOR TWO MINUTES
BEFORE SERVING.

CALDILLO DE CONGRIO
KINGKLIP SOUP

La sabrosa carne blanca y firme del congrio colorado lo hace figurar como el monarca de los peces del mar chileno. Dos parientes cercanos pueden usarse en su reemplazo con resultados menos espléndidos: el congrio negro, blando y aguachento y el congrio dorado, de carnes más firmes, pero menos sabrosas.

The flavorful firm white flesh of the red kingklip (sometimes called conger eel) earns its place as the king of all Chilean sea fish. Two close relatives can be substituted with adequate though less spectacular results: the black kingklip is soft and watery, and the golden kingklip is firmer but less flavorful.

Ingredientes
para 8 personas

- 1 congrio, de 4 kg o más, cortado en 8 tajadas transversales
- 3 cebollas cortadas en pluma
- 1 zanahoria cortada en rodajas finas
- 3 tomates pelados y trozados
- ½ pimentón rojo pelado y cortado en cuadritos
- 4 papas peladas y cortadas en rodajas finas
- 60 gr de mantequilla
- 2 cucharadas de aceite
- 4 cucharadas de crema
- 2 tazas de vino blanco

ALIÑOS
- 1 hoja de laurel
- 1 cebolla partida en cuatro
- 1 ramo de perejil picado fino
- 3 dientes de ajo picados fino
- Jugo de 1 limón
- 2 cucharaditas de orégano
- 1 cucharadita de salsa de ají
- Sal y pimienta

Ingredients
serves 8

- 1 kingklip, 9 lbs or larger, sliced into 8 steaks
- 3 onions, sliced
- 1 carrot, thinly sliced
- 3 tomatoes, peeled and chopped
- ½ red bell pepper, peeled and diced
- 4 potatoes, peeled and sliced into fine rounds
- 2 tablespoons butter
- 2 tablespoons oil
- 4 tablespoons cream
- 2 cups dry white wine

SEASONINGS
- 1 bay leaf
- 1 onion, quartered
- 1 bunch parsley, minced
- 3 cloves garlic, minced
- Juice of 1 lemon
- 2 teaspoons oregano
- 1 teaspoons hot sauce
- Salt and pepper

Preparación

1 Si el congrio está muy fresco, déjelo 2 días en el refrigerador para que desarrolle su sabor. En una olla cueza los cueros, aletas y cabeza en 1 ½ litro de agua, sazonada con laurel, cebolla, perejil y 2 dientes de ajo. Cocine por 2 horas a fuego suave reponiendo el agua evaporada, cuele y reserve.
2 Aliñe el pescado con sal y pimienta, jugo de limón, 1 diente de ajo molido, una pizca de orégano, salsa de ají y deje reposar al menos 1 hora.
3 En una olla fría las cebollas en aceite y mantequilla hasta iniciar un leve dorado. Agregue la zanahoria, los ajos, los tomates y el pimentón. Vacíe esta fritura en la olla, con el caldo caliente. Incorpore las papas y el vino blanco. Después de 15 minutos agregue las presas de pescado, continúe hirviendo por otros 10 minutos, retire del fuego y añada la crema previamente diluida en ½ taza de caldo.
4 Sirva en platos de greda y espolvoree con perejil picado fino antes de llevar a la mesa.

Preparation

1 If the fish is very fresh, refrigerate it for 2 days to allow its flavor to develop. Simmer the fish skins, fins, and head in 1 ½ quarts of water seasoned with bay leaf, onion, parsley, and 2 cloves of garlic for 2 hours over low heat, replacing the water as it evaporates. Strain and reserve the broth.
2 Season the fish with salt, pepper, lemon juice, 1 clove crushed garlic, a pinch of oregano, and hot sauce. Marinate at least 1 hour.
3 Heat oil in a large pot and sauté the onions in oil and butter until golden. Add carrots, garlic, tomatoes, and red pepper and sauté briefly. Add hot broth, potatoes, and white wine, and simmer 15 minutes. Add the fish and continue simmering for another 10 minutes. Remove from heat. Dilute the cream with ½ cup of broth and add to the soup.
4 Ladle the soup into clay dishes, sprinkle with parsley, and serve piping hot.

SECRETO
CUANDO COMPRE EL CONGRIO EXIJA LA CABEZA, CUEROS Y ALETAS, CON LOS QUE PREPARARÁ EL CALDO MADRE.

SECRET
WHEN BUYING THE FISH, ASK FOR THE HEAD, SKIN, AND FINS TO PREPARE THE STOCK.

PLATOS DE FONDO
MAIN COURSE DISHES

HUMITAS
CHILEAN TAMALES

Regordetas, acinturadas y vaporosas llegan las humitas a la mesa. Les abrimos el cinturón y las desnudamos para poder regalarnos, contemplando y saboreando su sabrosa contextura.

Chilean tamales arrive at the table plump and steaming. Pop open their 'belt' and peel back the corn husk covering for a real treat of flavor and texture.

Ingredientes
para 8 personas
- 12 choclos grandes con sus hojas
- 1 cebolla grande picada
- 2 cucharadas de manteca
- 1 rama de albahaca picada fina
- 2 ajíes verdes sin pepas y picados fino
- 1 taza de leche
- 1 cucharada de ají de color
- Sal y pimienta

Ingredients
serves 8
- 12 large ears fresh corn with husks
- 1 large onion, chopped
- 2 tablespoons lard
- 1 bunch fresh basil, finely chopped
- 2 green chilies, seeded and finely chopped
- 1 cup milk
- 1 tablespoon paprika
- Salt and pepper

Preparación

1 Corte la base del choclo con un cuchillo cocinero grande y con cuidado remueva las hojas. Reserve las más anchas en parejas para confeccionar las humitas más tarde.
2 Rebane los choclos con cuchillo y muélalos en una máquina procesadora. Ponga en una olla y reserve.
3 En una sartén fría la cebolla en la manteca hasta que se ponga transparente, añada los ajíes verdes, el ají de color, la albahaca, sal y pimienta. Vacíe esta fritura a la olla con la pasta de choclo, añada la leche y mezcle bien. Si el choclo estuviera muy maduro y con poco jugo agregue más leche hasta lograr una mezcla espesa.
4 Coloque cada pareja de hojas de choclo, unidas superpuestas por su parte más ancha, sobre una fuente pequeña para evitar que al depositar la mezcla se derrame. Doble las hojas de costado y luego cruce los extremos, formando la humita que amarrará con tiras de las hojas de choclo, moldeándole la cintura.
5 Ponga las humas a cocer en una olla grande con agua sazonada con sal durante 1 hora.

Preparation

1 Cut the base of the corn cob with a large knife, carefully remove the husks and reserve the widest ones in pairs to make the tamales.
2 Slice the corn from the cob with a knife and grind it in a food processor. Place the corn in a pot and reserve.
3 Melt the lard in a skillet and sauté the onions until translucent. Add chilies, basil, paprika, salt, and pepper to the onions and empty the mixture into the pot with the reserved corn paste; add milk and mix well to form a thick mixture. If the corn was very dry, add more milk.
4 Working in a shallow baking pan to catch excess tamale mixture, place two husks side by side, overlapping them at their widest part. Add 2 tablespoons of the corn mixture to the center of the leaves, fold the leaves in from the sides and then cross the ends to shape the tamales. Tie with thin strips of corn husks around the middle.
5 Simmer the tamales in a large pot of salted water for 1 hour.

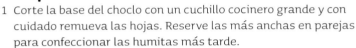

SECRETO
ELIJA CHOCLOS BIEN FRESCOS. ENTREABRA SUS HOJAS Y VEA QUE LOS GRANOS SEAN DE COLOR BLANCO CREMOSO. ROMPA UNO DE ELLOS CON LA UÑA DEL PULGAR PARA EXPRIMIR SU CONTENIDO, ESTE DEBE SER LECHOSO Y SEMILÍQUIDO, LO QUE GARANTIZARÁ LA CALIDAD Y CONSISTENCIA DE UNA HUMITA DE EXCELENCIA.

SECRET
TO CHOOSE FRESH EARS OF CORN, PEEL BACK THE HUSK TO ENSURE THAT THE KERNELS ARE A CREAMY WHITE. BREAK ONE OPEN WITH YOUR THUMBNAIL; THE JUICE SHOULD BE CREAMY AND SEMI-LIQUID, WHICH GUARANTEES THE QUALITY AND CONSISTENCY OF AN EXCELLENT TAMALE.

PASTEL DE CHOCLO
CHILEAN CORN PIE

Obra cumbre de la confección culinaria del choclo, muy chilena, de aroma inconfundible, donde se entremezclan el olor del choclo dorado, el del pino, similar al de las empanadas, y de la greda caliente. La cubierta de pasta de choclo oculta un pino jugoso, con huevo duro partido y una buena presa de ave.
El choclo ha de ser grande y grueso, del llamado pastelero, con granos blancos comenzando a amarillar. Rompa un grano con la uña del pulgar para observar la leche que fluye y así poder determinar si tiene una madurez adecuada para este plato.

Ingredientes
para 12 personas
- 12 choclos grandes
- 2 kg de pino de empanadas, página 36
- 1 pollo asado al horno, deshuesado
- 60 gr de mantequilla
- 1 cucharada de aceite
- 3 cucharadas de azúcar granulada
- 1 litro de leche
- 3 cucharaditas de salsa de ají
- 4 huevos duros, cortados en cuartos
- 3 hojas de albahaca picadas finas
- Sal

Preparación

1 Pele los choclos, desgránelos rebanándolos con cuchillo y luego páselos por la máquina de moler.
2 Ponga en una olla la mantequilla con el aceite caliente, agregue la pasta de choclo y cuézala lentamente, revolviendo. Agregue la leche a medida que se va espesando y luego la sal, el azúcar y la albahaca. Cuando la consistencia sea espesa, está en condiciones de armar el guiso.
3 Prepare el pino según indicaciones de la página 36.
4 Aceite cada platillo de greda individual y ponga 4 cucharadas colmadas de pino, una presa de pollo asado y tajadas de huevo duro. Cubra con una capa de choclo de 2 cm. Espolvoree con azúcar y ponga al horno bien caliente con llama alta hasta que el azúcar se comience a caramelizar.

This is a very Chilean masterpiece of corn-based dishes, with the unmistakable aroma of golden corn, 'pino' beef mixture similar to that used in empanadas, and its traditional hot clay serving dishes. A creamy corn topping covers the juicy meat mixture with a wedge of hard-boiled egg and a nice piece of chicken.
Tradition calls for corn with large, thick, white kernels just starting to turn yellow. Break a kernel open with your thumbnail to see the milky liquid and determine whether it is ripe enough for this dish.

Ingredients
serves 12
- 12 large ears of corn
- 4 ½ lbs beef empanada mixture, page 36
- 1 oven-roasted chicken, boned
- 2 tablespoons butter
- 1 tablespoon oil
- 3 tablespoons granulated sugar
- 1 quart milk
- 3 teaspoons hot sauce
- 4 hard-boiled eggs, quartered
- 3 fresh basil leaves, minced
- Salt

Preparation

1 Husk the fresh corn, slice the kernels from the cob, and grind them in a food processor.
2 Heat butter and oil in a pot, add the ground corn and cook it slowly, stirring constantly. Add the milk gradually, and then add the salt, sugar, and basil. Continue stirring until the mixture thickens.
3 Separately, make the meat filling as indicated on page 36.
4 Grease individual clay serving dishes and fill each with 4 heaping tablespoons of meat mixture, a piece of chicken and a wedge of hard-boiled egg. Top with a ¾-inch-thick layer of corn. Sprinkle sugar on top and place in a very hot oven until the sugar begins to caramelize.

SECRETO
PREPARE ESTE GUISADO EN PLATOS DE GREDA INDIVIDUALES Y AMPLIOS, PORQUE CONSERVAN MEJOR EL CALOR Y PROPORCIONAN EL AROMA DE NUESTRA GREDA CHILENA.

SECRET
INDIVIDUAL CLAY DISHES NOT ONLY CONSERVE THE HEAT BETTER, BUT ALSO ADD THE UNIQUE AROMA OF CHILE'S TRADITIONAL HOT CLAY DISHWARE.

POROTOS GRANADOS
CORN AND BEAN STEW

Los chilenos son fanáticos de las legumbres y este sabroso plato preparado con porotos frescos, choclo y albahaca es la mejor receta veraniega. Esta es una de las preparaciones más representativas de nuestra cocina rural.

Ingredientes
para 6 personas
– 2 kg de porotos granados
– ½ kg de porotos verdes en trocitos
– ½ kg de zapallo de guarda picado
– 2 dientes de ajo picados finos
– ½ cebolla picada en cuadritos
– 6 hojas de albahaca picadas
– 3 choclos
– 2 ajíes verdes picados finos
– 2 cucharadas de aceite
– 1 cucharada de manteca
– 1 cucharadita de ají color
– Una pizca de comino
– Pimienta

Preparación
1 Rebane el choclo en tres cortes de manera que cada grano quede dividido en tres (lo que en Chile se llama "pirco").
2 En una sartén fría el ají verde por 5 minutos y agregue la cebolla hasta que inicie el dorado. Añada ajo, ají de color, pimienta y comino. En una olla mezcle con los porotos y agregue agua hasta cubrir los ingredientes.
3 Cueza los porotos durante 45 minutos o hasta que estén blandos. Añada el zapallo y 5 minutos después el picadillo de choclo y la albahaca. Cocine por 10 minutos más.

Chileans are very fond of legumes, and this rich bean stew made with fresh shelling beans, corn, and basil is a summer favorite. It is one of the most representative dishes of rural Chilean cuisine.

Ingredients
serves 6
- 4 ½ lbs of fresh shelling beans
- 1 lb green beans, snapped into small pieces
- 1 lb pumpkin or squash, diced
- 2 cloves garlic, minced
- ½ onion, finely chopped
- 6 basil leaves, chopped
- 3 ears fresh corn
- 2 green chilies, finely chopped
- 2 tablespoon oil
- 1 tablespoons lard
- 1 teaspoon paprika
- Pinch cumin
- Black pepper

Preparation
1 Slice the uncooked corn from the cob with three cuts so that each kernel is divided into three pieces (in Chile this is called 'pirco').
2 Sauté the chili pepper for 5 minutes; add the onion and continue sautéing until it begins to brown. Add the garlic, paprika, black pepper, and cumin. Mix with the beans and pumpkin and add water to cover.
3 Boil the beans for 45 minutes or until soft. Add the corn and basil and cook another 10 minutes.

SECRETO
PARA INTENSIFICAR EL SABOR DE ESTE PLATO AGREGUE, AL MOMENTO DE SERVIR, AJO Y ALBAHACA MOLIDOS EN EL MORTERO.

SECRET
FOR MORE INTENSE FLAVOR, GRIND GARLIC AND BASIL WITH A MORTAR AND PESTLE AND ADD TO TASTE JUST BEFORE SERVING.

LENTEJAS GUISADAS
LENTIL STEW

Desde los tiempos de Jacob las lentejas guisadas figuran en la Biblia como un plato no muy valioso, de manera que venderse por un plato de ellas era una barbaridad... pero si estuvieran muy bien preparadas, como en esta receta, habría que pensarlo. No lo dude más, prepárelas y disfrute.

Ingredientes
para 4 personas
– ½ kg de lentejas
– 1 cebolla picada en cuadritos finos
– 100 gr de tocino ahumado (panceta) cortado en tiritas
– 60 gr de manteca
– 1 marraqueta
– 1 cucharadita de ají de color
– Una pizca de comino
– 3 cucharadas de queso rallado
– Sal y pimienta

Preparación

1 Lave las lentejas y elimine las piedrecillas que puedan averiar la dentadura. En un bol déjelas remojando en 2 litros de agua tibia durante 24 horas o más.
2 En una sartén dore la cebolla en la manteca, agregue el tocino y después de 2 minutos los aliños.
3 Ponga a cocer las lentejas en su agua de remojo y vierta en ellas la fritura, aliñando con sal y pimienta. Cocine a fuego lento durante 1 hora.
4 Mientras tanto, remoje la marraqueta en agua por 5 minutos, pásela por cedazo y agréguela al guiso 5 minutos antes que las lentejas vayan a estar listas.
5 Sirva en platos soperos espolvoreados con queso rallado.

Lentils have often been considered a lowly dish, as even the bible attests. Esau was despised for selling his birthright to Jacob in exchange for a plate of these humble legumes. Perhaps history would have been different if they had been prepared properly. See for yourself.

Ingredients
serves 4
– 1 lb lentils
– 1 onion, finely chopped
– ¼ lb smoked bacon, in tiny strips
– 2 tablespoons lard
– ½ cup French bread cubes
– 1 teaspoon paprika
– 1 pinch ground cumin
– 3 tablespoons grated Parmesan cheese
– Salt and pepper

Preparation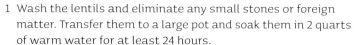

1 Wash the lentils and eliminate any small stones or foreign matter. Transfer them to a large pot and soak them in 2 quarts of warm water for at least 24 hours.
2 Melt the lard in a frying pan and sauté the onion in the lard until golden. Add the bacon, continue sautéing for 2 minutes, and add the paprika and cumin.
3 Bring the pot of lentils in their soaking water to a boil over medium-high heat. Add the onion-bacon mixture and salt and pepper. Turn the heat to low, and cook for 1 hour.
4 While the lentils cook, soak the bread in water for 5 minutes, then force it through a sieve. Add it to the lentils and cook 5 minutes longer.
5 Serve in soup bowls, sprinkled with grated cheese.

SECRETO

PARA ABLANDAR Y SUAVIZAR LA CUTÍCULA DE LAS LENTEJAS AGREGUE AL AGUA DE REMOJO 1 CUCHARADITA RASA DE BICARBONATO.

SECRET

ADDING A LEVEL TEASPOON OF BAKING SODA TO THE SOAKING WATER WILL HELP SOFTEN THE LENTILS BEFORE COOKING.

CHARQUICÁN
JERKY-POTATO CASSEROLE

Plato mapuche que se preparaba con charqui de guanaco antes de que se iniciara la ganadería en Chile. Actualmente se prefiere la carne fresca de vacuno para prepararlo, porque el charqui tiene un sabor muy penetrante que no agrada a todos. Curiosamente, el "Larousse Gastronomique" lo presenta como "el plato nacional chileno", siendo esta distinción otorgada habitualmente a la cazuela y a la empanada.

This native Mapuche dish was originally prepared with guanaco jerky before cattle farming became widespread in Chile. Today fresh beef is preferred because not everyone apppreciates jerky's intense flavor. Curiously, the 'Larousse Gastronomique' describes this as 'Chile's national dish,' although most Chileans would choose cazuela and empanadas for this honor.

Ingredientes
para 6 personas

- ½ kg de asiento de picana cortado en cubitos
- 1 cebolla grande picada
- 4 papas grandes peladas y cortadas en cubos
- ¼ kg de zapallo pelado y cortado en cubos
- 2 dientes de ajo molidos
- ½ taza de aceite
- 2 cucharaditas de ají de color
- 1 ½ cucharadita de orégano
- Una pizca de comino
- Cebollas y ajíes escabechados
- Sal y pimienta

Ingredients
serves 6

- 1 lb beef chuck steak, cubed
- 1 large onion, chopped
- 4 large potatoes, peeled and cubed
- ½ lb pumpkin, cubed
- 2 cloves garlic, crushed
- ½ cup oil
- 2 teaspoons paprika
- 1 ½ teaspoons oregano
- Pinch cumin
- Pickled onions and chili peppers
- Salt and pepper

Preparación

1 Caliente el aceite en una olla y fría la carne por 10 minutos. Incorpore las papas, el zapallo, el ajo y los aliños. Fría el conjunto por otros 10 minutos y luego agregue agua hirviendo hasta cubrirlo. Cueza por 20 minutos o hasta que las papas estén bien cocidas.
2 Una vez listo apisone los trozos de papa y zapallo con una cuchara para deshacerlos parcialmente.
3 Sirva en platos individuales regados con "la color", es decir, coloreado el aceite con pimentón seco molido, denominado habitualmente ají de color. Acompañe con cebolla y ají verde escabechados.

VARIACIÓN CON CHARQUI
Si decide rememorar antiguos tiempos usando charqui, ponga al horno 200 gr de este por unos 5 minutos, córtelo en trocitos, macháquelo en el mortero y añádalo a la receta.

OTRA VARIACIÓN MÁS COMPLEJA
El entusiasmo culinario suele agregarle a este guiso choclos, arvejitas, porotos verdes y tomates. En este caso ya no es charquicán, sino un "Locro".

Preparation

1 Heat oil in a pot and sauté the meat for 10 minutes. Add the potatoes, pumpkin, onion, garlic, and seasonings and continue sautéing for another 10 minutes. Add boiling water to cover and cover the pot. Cook for 20 minutes or until the potatoes are cooked through.
2 Lightly mash the potato and pumpkin with a spoon.
3 Serve in individual dishes drizzled with a 'coloring' made by mixing paprika with oil. Accompany with onion and pickled green chili.

JERKY VARIATION
You can prepare a more tradtional version of this dish by using 7 oz of jerky in place of fresh beef. Place it in a hot oven for 5 minutes, cut it into small pieces and then crush it with a mortar and pestle before using.

LOCRO VARIATION
Another popular version is 'Locro' made by adding corn, fresh peas, green beans, and tomatoes.

PICOROCOS GRATINADOS
BARNACLES AU GRATIN

El picoroco o "pico de mar", como se le denominaba en el pasado, es un curioso crustáceo de extraordinario sabor marino, que en las costas chilenas adquiere gran tamaño. Su particularidad es que siendo un crustáceo movedizo en su infancia, termina encarcelado como adulto en una concha calcárea fija a las rocas.

Ingredientes
para 6 personas

– 12 picorocos
– 1 ½ cucharada de harina
– 90 gr de mantequilla
– 1 taza de vino blanco
– ½ taza de crema
– 2 cebollas picadas
– 3 cucharadas de queso parmesano rallado
– 2 yemas de huevo
– 2 cucharaditas de salsa de ají
– ½ cucharadita de pimienta
– Una pizca de nuez moscada

Preparación

1. Limpie bien los picorocos y en una olla cuézalos al vapor durante 30 minutos. Una vez fríos, corte la membrana que fija el pico a la concha con un cuchillo fino y afilado; vacíe el contenido líquido en un recipiente y cuélelo.

2. Ponga los picorocos sobre una tabla y trice la concha con un golpe seco, usando un mazo de madera. Retire el picoroco cocido y elimine los pedazos de concha adheridos y la pequeña bolsita (estómago) ubicada al centro. Reserve 6 picorocos con su pico y desmenuce gruesamente la carne del resto.

3. En una sartén fría la harina en 2 cucharadas de mantequilla sin dorarla y agregue el jugo de los picorocos previamente reservado. Sin dejar de revolver, agregue el vino blanco y caliente hasta que hierva y forme una salsa espesa. Dore la cebolla en el resto de mantequilla y agregue a la salsa junto con la pimienta, la nuez moscada y 2 cucharadas de queso parmesano. Mezcle la crema con las yemas y el ají y agréguela a la salsa junto con los picorocos. Si está muy espesa añada leche.

4. Enmantequille 6 pailitas y distribuya la salsa en ellas, colocando 1 picoroco entero en el centro de cada una. Cubra con el resto del queso rallado, dejando libre el picoroco y ponga las pailitas en el horno bien caliente hasta gratinar el queso.

Barnacles are curious crustaceans that look almost a bird's beak in a shell. They grow very large along the coast of Chile and have an extraordinary marine flavor. Infant barnacles are mobile, but adults remain entrapped in their shells and tightly fixed to the rocks.

Ingredients
serves 6

– 12 barnacles
– 1 ½ tablespoons flour
– 3 tablespoons butter
– 1 cup white wine
– ½ cup cream
– 2 onions, chopped
– 3 tablespoons grated Parmesan cheese
– 2 egg yolks
– 2 teaspoons hot sauce
– ½ teaspoon black pepper
– Pinch of nutmeg

Preparation

1. Clean the barnacles well and steam them for 30 minutes. Let cool. Cut the membrane that attaches the beak to the shell with a fine, sharp knife; strain the liquid into a bowl.

2. Place the barnacles on a table and use a wooden mallet to break open the shell with a sharp whack. Remove the cooked barnacle and eliminate any bits of shell and the little stomach sac in the center. Set aside 6 barnacles with their beaks and break the rest into coarse pieces.

3. Melt 2 tablespoons of butter in a skillet; add the flour and cook a few minutes without browning. Add the reserved barnacle juice, and stirring constantly, add the white wine. Heat until the mixture simmers and thickens. Brown the onion in the remaining butter and add to the sauce with the pepper, nutmeg, and 2 tablespoons of grated Parmesan. Mix the cream, egg yolks, and chili pepper, and add to the sauce along with the barnacle bits. Add some milk if the sauce is too thick.

4. Butter 6 gratin dishes. Distribute the sauce evenly among them, and place a whole barnacle in the center of each. Sprinkle the remaining grated Parmesan around the barnacle, and place the gratin dishes in a hot oven until the cheese turns golden.

SECRETO
ADQUIERA PICOROCOS DE BUEN TAMAÑO CON MOVILIDAD MANIFIESTA DE SU PICO, LO QUE INDICA QUE ESTÁN FRESCOS.

SECRET
TO ENSURE FRESHNESS, ALWAYS SELECT GOOD-SIZED BARNACLES WHOSE BEAKS STILL MOVE.

LENGUADO CON SALSA DE ERIZOS
SOLE WITH SEA URCHIN SAUCE

Para equilibrar el fino sabor del lenguado con el marcado aroma de los erizos la salsa debe suavizar la personalidad del erizo en la forma que se indica.

Ingredientes
para 6 personas
– 6 filetes de lenguado de unos 200 gr cada uno
– 1 lata de lenguas de erizo en conserva
– ⅓ taza de crema
– 90 gr de mantequilla
– 1 cucharada colmada de harina
– 1 cucharada de aceite
– 2 tazas de leche
– Sal

Preparación 👨‍🍳👨‍🍳
1 En una olla ponga a freír la harina en 2 cucharadas de mantequilla y aceite sin que se dore. Retire del fuego, espere que se entibie y agregue la leche. Coloque al fuego revolviendo sin parar hasta que hierva. Vaya agregando leche hasta obtener una consistencia cremosa.
2 Coloque esta salsa blanca en la licuadora, agregue los erizos en conserva y la crema y bata hasta homogeneizar. Ajuste la sal y mantenga caliente en baño de María hasta el momento de cubrir con ella los filetes de lenguado.
3 Sazone con sal los filetes anticipadamente. Unte una sartén grande o 2 medianas, con mantequilla y aceite, y una vez bien calientes deposite los filetes. Cocine a fuego medio durante 3 minutos por lado, retírelos y ponga sobre platos calientes.
4 Cubra con la salsa y sirva acompañados con papas duquesa o simplemente doradas.

To balance the delicate flavor of sole with the pronounced aroma of sea urchins, the sauce should soften the personality of the urchins as follows.

Ingredients
serves 6
– 6 sole fillets, 7–8 oz each
– 1 can sea urchins
– ⅓ cup cream
– 3 tablespoons butter
– 1 heaping tablespoon flour
– 1 tablespoon oil
– 2 cups milk
– Salt

Preparation 👨‍🍳👨‍🍳
1 Make a white sauce by melting 2 tablespoons butter in a sauce pan. Add the flour and cook until lightly browned. Remove from heat and allow to cool. Stir in some milk and return to the heat, stirring constantly until the mixture boils. Continue adding the milk and stirring until the mixture is thick and creamy.
2 Transfer the white sauce to a blender, add the sea urchins and cream, and process until smooth. Add the salt and keep the sauce warm in a double boiler over low heat until ready to serve.
3 Season the fish fillets. Add the remaining butter and oil to 1 large or 2 medium skillets. When hot, add the fish and cook over medium heat for 3 minutes per side. Transfer the cooked fish to warmed serving plates.
4 Top the fish with the sauce and serve with golden-fried potatoes.

ALBACORA FRITA IQUIQUEÑA
IQUIQUE-STYLE SWORDFISH

La albacora es un pez espada de gran tamaño. Pesa en promedio 150 kg y puede alcanzar hasta unos 400 kg. Se encuentra habitualmente en altamar, frente a las costas de Chile y Perú. El ideal es preparar este plato con albacora fresca, pero actualmente es difícil obtenerla, porque se exporta casi en su totalidad, dada su extraordinaria calidad sabórica y de textura. Por eso hay que resignarse a prepararlo con albacora congelada.

Despite the coincidence of names, Chilean 'albacore' is not tuna but rather a large swordfish that weighs an average of 300 lbs and can grow to as much as 800 lbs. It is usually found in the high seas off the coasts of Chile and Peru.

Due to its extraordinary flavor and texture, fresh swordfish is in high demand and is exported almost in its entirety. Therefore frozen swordfish is the most commonly found in Chile.

Ingredientes
para 6 personas

– 6 escalopas de albacora de buen tamaño
– 2 cucharaditas de cúrcuma
– 3 dientes de ajo molidos
– 2 cucharadas de vinagre tinto
– 6 cucharadas de aceite
– Sal y pimienta

Ingredients
serves 6

– 6 good sized swordfish steaks
– 2 teaspoons turmeric
– 3 cloves garlic, crushed
– 2 teaspoons red wine vinegar
– 6 teaspoons oil
– Salt and pepper

Preparación

1 Haga un aliño mezclando el ajo con la cúrcuma y el vinagre. Salpimente las escalopas y úntelas por ambas caras con el aliño. Deje reposar por algunas horas para obtener una buena impregnación.

2 Coloque una cucharada de aceite en una sartén, caliéntelo fuertemente y ponga a freír la escalopa por ambos lados brevemente, lo que permitirá que se forme un juguito sabrosón que derramará sobre la tajada colocada en un plato caliente.

3 Sirva acompañada con papas doradas o salteadas al perejil.

Preparation

1 Make a marinade with the turmeric, garlic, and vinegar. Sprinkle the fish with salt and pepper. Dip both sides in the marinade, and set aside for a few hours so that it absorbs the flavors.

2 Pour a teaspoon of oil in the frying pan, turn to high heat, and fry the fish briefly on both sides.

3 Serve on hot plates and top with the pan juices. Accompany with fried potatoes or sautéed potatoes sprinkled with parsley.

FRICASÉ DE CRIADILLAS DE CORDERO
LAMB FRY FRICASSEE

El fricasé es un simple guisado francés de pollo, introducido en Chile hace algo más de un siglo, que adquirió aquí prestancia, variedad y fama por la diversidad de carnes con que se prepara: aves, mariscos y reses.

Ingredientes
para 6 personas

– 6 criadillas grandes de cordero
– 1 cebolla mediana picada en cubitos
– 2 tazas de pan de molde fresco cortado en cubitos
– 3 tazas de papas peladas cortadas en cubitos
– ½ taza de zanahorias cortadas en cubitos
– 1 taza de arvejitas
– 1 copa de vino blanco
– 2 cucharadas de perejil picado fino
– 2 tazas de caldo de las criadillas
– 3 huevos
– 2 huevos duros picados
– ½ taza de aceite
– 3 cucharadas de mantequilla
– Sal y pimienta

Preparación

1 En una olla cueza en agua sazonada 6 criadillas de buen tamaño o 12 medianas, durante 15 minutos. Reserve el caldo, pélelas, córtelas en cubitos y espolvoréelas con pimienta.
2 Fría este picadillo en aceite mezclado con mantequilla, dorando ligeramente.
3 Fría la cebolla y la zanahoria en lo que queda del aceite en la sartén más 1 cucharada de mantequilla. Mezcle con las criadillas y agregue el perejil y las arvejitas. Añada 1 taza de caldo, el vino blanco y haga hervir en cacerola tapada por 5 minutos. Ajuste sal y pimienta y mantenga al calor.
4 En una sartén fría con abundante aceite las papas y cuando estén iniciando el dorado agregue el pan y siga friendo hasta que este último esté bien dorado. Retire y ponga sobre papel absorbente para eliminar el máximo de aceite.
5 Bata los huevos, vacíelos en la olla con el cocimiento, retire del fuego y revuelva rápidamente, para que el jugo caliente forme con el huevo una aleación cremosa. Vierta en una fuente caliente y esparza por encima las papas, el pan frito y los huevos duros.
6 Con una cuchara grande distribuya el guiso en cada plato, tratando que el frito se mantenga sobre lo cocido, evitando que se mezclen.

The fricassee was first introduced in Chile more than a century ago as a simple French chicken stew. It quickly became popular and gave rise to many variations made with poultry, shellfish, and beef.

Ingredients
serves 6

– 6 large or 12 medium lamb fry (testicles)
– 1 medium onion, chopped
– 2 cups fresh bread cubes
– 3 cups potatoes, peeled and diced
– ½ cup carrots, diced
– 1 cup peas
– 1 cup white wine
– 2 tablespoons parsley, minced
– 2 cups lamb fry broth
– 3 eggs
– 2 hard-boiled eggs, chopped
– ½ cup oil for frying
– 3 tablespoons butter
– Salt and pepper

Preparation ☺ ☺ ☺

1 Boil the lamb fry in salted water, 12 minutes for medium, 15 minutes for large. Remove the fry and reserve the broth. Peel, cube, and sprinkle the fry with pepper.
2 Melt 1 tablespoon butter in a skillet with oil; when hot, add the cubed lamb fry and sauté until lightly golden.
3 In a separate skillet, heat the remaining oil with 1 tablespoon butter. Sauté the onion and carrot until soft and then add them to the sautéed lamb fry, along with the parsley and peas. Add a cup of reserved cooking liquid and the white wine. Cover the pot and bring to a boil. Cook, covered, 5 minutes. Adjust the salt and pepper and keep warm.
4 Fry the potatoes in abundant oil. Just as they start to turn golden, add the bread cubes and continue frying until the bread is also golden. Transfer to paper towels and drain well.
5 Beat the eggs and add them to the cooked lamb fry mixture. Remove from heat and stir quickly so that the eggs and hot meat juices form a creamy sauce. Transfer the mixture to a warm serving dish and sprinkle the potatoes, fried bread, and chopped egg on top.
6 Serve hearty helpings at the table, making sure that each serving includes plenty of crunchy toppings. Do not mix toppings into the dish or they will turn soggy.

SECRETO
LLEVE A LA MESA RÁPIDAMENTE PARA
QUE EL VAPOR DEL GUISO NO ABLANDE
LAS PAPAS Y EL PAN FRITO.

SECRET
SERVE THIS DISH AS SOON AS IT IS FINISHED
TO PREVENT THE POTATOES AND CROUTONS
FROM SOFTENING.

POLLO ARVEJADO
CHICKEN AND PEA CASSEROLE

Atractivo guisado de pollo y vegetales muy presente en nuestras mesas, que se puede preparar actualmente todo el año, usando arvejas congeladas.

Ingredientes
para 6 personas
– 6 muslos de pollo
– 6 papas medianas peladas y cortadas en cubitos
– 2 zanahorias cortadas en medias rodajas
– 3 tazas de arvejitas
– 1 cebolla mediana picada en cuadritos
– ½ taza de aceite
– 3 dientes de ajo
– 1 cucharadita de tomillo
– Sal y pimienta

Preparación 👨‍🍳👨‍🍳

1 En una sartén fría en aceite los dientes de ajo pelados hasta que estén muy dorados. Retírelos y fría los muslos de pollo sazonados hasta dorarlos.
2 Agregue las zanahorias y la cebolla. Cuando la cebolla esté transparente agregue 1 ½ taza de agua y los condimentos. Deje hervir a fuego lento hasta que el pollo esté tierno, aproximadamente 30 minutos.
3 Agregue las papas y hierva por otros 15 minutos. Por último, agregue las arvejitas y continúe hirviendo 10 minutos más.

This attractive chicken-vegetable dish is a family favorite and can be prepared year-round by using frozen peas.

Ingredients
serves 6
– 6 chicken thighs
– 6 medium potatoes, peeled and diced
– 2 carrots, sliced
– 3 cups fresh or frozen peas
– 1 medium onion, diced
– ½ cup oil
– 3 whole garlic cloves, peeled
– 1 teaspoon thyme
– Salt and pepper

Preparation 👨‍🍳👨‍🍳

1 Heat the oil in a skillet and sauté the garlic until very well browned. Remove the garlic and fry the chicken thighs in the same oil until golden.
2 Add the carrots and onions. When the onion is translucent, add 1 ½ cups of water and the seasonings. Simmer over low heat until the chicken is tender, about 30 minutes.
3 Add the potatoes, turn up the heat, and boil for 15 minutes. Finally, add the peas and cook another 10 minutes.

SECRETO
PARA DESTACAR EL SABOR DEL POLLO ADÓBELO
CON 2 HORAS DE ANTERIORIDAD, CON ½ DIENTE
DE AJO MOLIDO, TOMILLO, UNA CUCHARADA DE
JUGO DE LIMÓN, PIMIENTA Y SAL.

SECRET
BRING OUT THE FLAVOR OF THE CHICKEN BY
MARINATING IT FOR 2 HOURS BEFORE COOKING USING
½ CLOVE OF CRUSHED GARLIC, THYME, A TABLESPOON
OF LEMON JUICE, AND SALT AND PEPPER.

BISTEC A LO POBRE
CHILEAN-STYLE STEAK AND EGGS

El Bistec a lo Pobre es un platillo abundante, sabroso y llenador, cuya presencia estimula el entusiasmo por la vida y aleja depresiones y tristezas. Su nombre deriva del conocido plato francés "Bifteck au poivre", nacionalizado por los turistas chilenos de fines del siglo XIX y complementado por las cocineras de nuestro país, quienes le suprimieron la pimienta y le agregaron papas, cebollas, huevos fritos y, en ocasiones, un moldecito de arroz graneado.

Ingredientes
para 4 personas
– 4 bistec de lomo o de filete
– 12 papas largas peladas y cortadas a lo largo en tiras gruesas
– 4 cebollas cortadas en pluma mediana
– 8 huevos
– 2 litros de aceite
– Sal y pimienta

Preparación

1 En una sartén fría las papas en abundante aceite hasta dorar ligeramente.
2 En una paila fría las cebollas a toda llama en 3 cucharadas de aceite.
3 Unte con aceite 2 sartenes, espolvoréelas con sal y cuando el aceite humee coloque 2 bistec en cada una. Fríalos a toda llama, dorándolos con ganas pero manteniendo el centro jugoso y rosado. Retírelos del fuego tan pronto aparezcan gotitas sonrosadas en la superficie.
4 Fría los huevos y manténgalos calientes.
5 Sirva en 4 fuentes calentadas previamente en el horno distribuyendo en ellas las cebollas, las papas fritas, un bistec al centro y cubra con 2 huevos fritos para cada uno.
6 Si le queda algún rincón disponible en el plato agregue un molde de arroz, si así lo desea.
7 Acompañe con marraquetas calentadas en el horno y, si le parece, con una ensalada chilena en una fuente aparte.

This is a hearty, filling, and flavorful dish that stimulates the spice for life and drives away any sadness. Its Spanish name, 'Poor Man's Steak,' is believed to have been derived from the French 'Steak au poivre,' which Chilean travelers brought back from France in the late 19th century. It was incorporated into our national cuisine by reducing the black pepper, adding potatoes, onions, fried eggs, and sometimes even a side of molded rice.

Ingredients
serves 4
– 4 beef steaks, loin, or fillet
– 12 long potatoes, peeled and cut into long, thick strips
– 4 onions, sliced medium thick
– 8 fried eggs
– 2 quarts oil
– Salt and pepper

Preparation

1 Fry the potatoes in plenty of hot oil until lightly browned.
2 Fry the onions in 3 tablespoons of oil over high heat.
3 Grease 2 frying pans and sprinkle them with salt. Turn the heat to high, and when the oil begins to smoke, add 2 steaks to each pan. Fry until the outside is nicely browned but the inside is still pink and juicy (remove them from the heat as soon as pink droplets appear on the upper surface).
4 Fry the eggs sunny-side up and keep warm.
5 Preheat four large plates. Distribute the onions and fried potatoes evenly among them. Place a steak in the center of each and top with two fried eggs.
6 Serve with molded cooked rice if desired.
7 Accompany with crusty warm bread and pass a large bowl of Chilean-style tomato and onion salad.

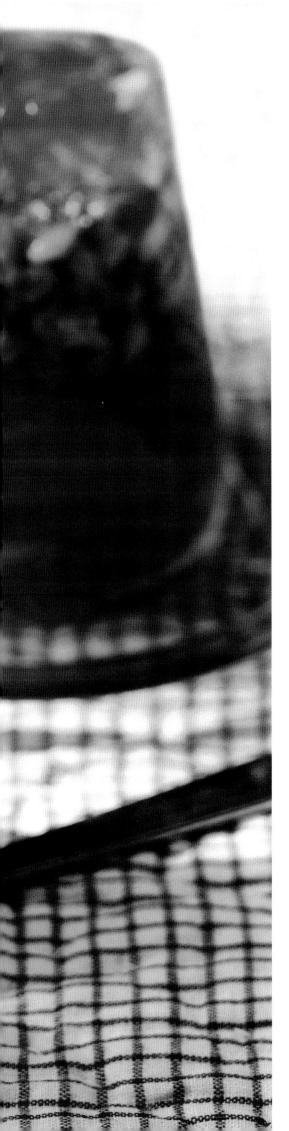

POSTRES
DESSERTS

SOPAIPILLAS
PUMPKIN FRIED DOUGH

Esta delicia invernal llena de calidez y energía las frías y grises tardes de invierno. Las sopaipillas pueden servirse con una salsa dulce, como un sabroso postre o con pebre, como un aperitivo junto a un pisco sour o un vino navegado.

This special winter treat is a surefire way to chase away the winter blues. Sopaipillas can be served with a sweet sauce as a tasty dessert or with a spicy pebre or salsa as a savory appetizer with a pisco sour or warm mulled wine.

Ingredientes
para 6 personas
– 1 kg de zapallo
– 1 kg de harina
– 125 gr de manteca
– 1 cucharadita de polvos de hornear
– 2 cucharaditas de sal

ALMÍBAR PARA SOPAIPILLAS "PASADAS"
– 1 pan (225 gr) de chancaca
– 2 tazas de agua
– Vainilla, cáscara de naranja o limón, clavos de olor
  o canela a elección
– Maicena

Preparación
1 En una fuente ponga el zapallo en el horno caliente hasta dorar bien su superficie, aproximademente 1 hora, y déjelo enfriar.
2 Pase el zapallo por un cedazo. Al puré resultante incorpórele manteca y sal y agregue progresivamente harina, hasta que resulte una masa blanda que no se pegue a las manos.
3 Usleree hasta dejarla de 3 mm de espesor y corte rodelas de 6 a 8 cm de diámetro.
4 En una sartén fríalas en abundante aceite bien caliente hasta dorar.

PARA EL ALMÍBAR
1 Hierva el agua en una olla grande y luego disuelva la chancaca. Baje el fuego y agregue el o los saborizantes a su gusto. Cueza a fuego lento durante 20 a 30 minutos.
2 En 1 taza disuelva 1 ó 2 cucharaditas de maicena en agua fría y agréguela al almíbar para espesarlo.
3 Sumerja las sopaipillas en el almíbar hirviendo durante 1 a 3 minutos según su gusto; mientras más tiempo pasan en él, más blandas resultarán. Sírvalas calientes.

VARIACIÓN SALADA PARA APERITIVO
1 Prepare las sopaipillas igual que lo descrito anteriormente, pero córtelas en rodelas de 3 a 4 cm.
2 Sirva con chancho en piedra o pebre de cilantro.

Ingredientes
serves 6
– 2 lbs winter pumpkin or squash
– 2 lbs flour
– 4 tablespoons lard, melted
– 1 teaspoon baking powder
– 2 teaspoons salt

SYRUP FOR SWEET SOPAIPILLAS
– 7 ½ tablespoons molasses or dark brown sugar
– 2 cups water
– Vanilla, lemon or orange peel, cloves, or cinnamon to taste
– Cornstarch

Preparation ♙♙
1 Bake the pumpkin or squash in a hot oven until nicely browned, approximately 1 hour. Cool.
2 Force the pumpkin through a sieve. Add the lard and salt, and then add the flour a little at a time until it forms a soft dough that is not sticky.
3 Roll the dough out to ¼ inch thick and cut into 2 ½ to 3 inch rounds.
4 Fry the rounds in abundant hot oil until golden.

FOR THE SYRUP
1 Bring the water to a boil in a large pot and dissolve the molasses or brown sugar. Lower the heat and add the desired flavorings. Cook over low heat for 20 to 30 minutes.
2 Dissolve 1 to 2 teaspoons of corn starch in a cup of cold water and add it to the syrup to thicken.
3 Drop the sopaipillas into the boiling syrup for 1 to 3 minutes; the longer they spend in the syrup, the softer and sweeter they will be. Serve warm in bowls with plenty of extra syrup.

APPETIZER VARIATION
1 Prepare the sopaipillas as described above, but cut them into smaller rounds, 2 inches in diameter.
2 Serve with tomato or cilantro salsa.

SECRETO
NO COCINE EL ZAPALLO EN AGUA; HORNÉELO
PARA CARAMELIZAR SUS AZÚCARES Y
DESHIDRATARLO, LO QUE DISMINUYE LA
PROPORCIÓN DE HARINA NECESARIA.

SECRET
DON'T COOK THE SQUASH IN WATER;
BAKING IT CARAMELIZES ITS SUGARS
AND DEHYDRATES IT SO THAT THE DOUGH
NEEDS LESS FLOUR.

PERAS BORRACHAS
DRUNKEN PEARS

Ingredientes
para 6 personas

– 6 peras maduras firmes
– 1 botella de vino tinto
– 1 taza de azúcar granulada
– ⅓ taza de crema
– 1 palito de canela
– 3 cucharaditas de maicena
– 1 cucharada de azúcar flor

Preparación

1 Pele las peras cuidadosamente, dejando la superficie bien lisa y conservando el pedúnculo.
2 En una olla del tamaño adecuado para que el vino cubra las peras hasta el inicio del pedúnculo, caliente el vino y vaya disolviendo el azúcar en él, agregando el palito de canela. Ponga las peras y haga hervir el conjunto a fuego moderado durante 30 minutos. Cerciórese de que las peras estén suficientemente cocidas pinchándolas con un mondadientes, este deberá penetrar en la pulpa con una resistencia mínima.
3 Retire las peras de la olla con cuidado y colóquelas en una bandeja en el refrigerador. Continúe hirviendo a toda llama el vino para concentrarlo, reduciendo su volumen a ⅔. Espéselo ligeramente con la maicena disuelta en 2 cucharadas de agua. Dé un último hervor y deje enfriar.
4 Mientras tanto, en un bol prepare la crema batiéndola durante 3 minutos junto con el azúcar flor.
5 Para montar el postre ponga 3 cucharadas del almíbar de vino en cada plato y la pera al centro. Con una cucharita derrame la crema en el vértice de la pera, circundando la base del pedúnculo, dejando que escurra levemente en forma irregular.

Ingredients
serves 6

– 6 firm, ripe pears
– 1 bottle red wine
– 1 cup granulated sugar
– ⅓ cup cream
– 1 cinnamon stick
– 3 teaspoons corn starch
– 1 tablespoon powdered sugar

Preparation

1 Carefully peel the pears to maintain their smooth shape, leaving the stem on.
2 Heat the wine in a saucepan. Add the sugar and stir to dissolve; add the cinnamon stick. Place the pears in a large pot and add the warm wine, covering them to the stem. Bring to a boil, lower the heat and simmer for 30 minutes. Test the pears for doneness by pricking them with a toothpick; it should penetrate easily.
3 Carefully transfer the pears to a baking sheet and cool them in the refrigerator. Continue boiling the wine over high heat to concentrate it, reducing the volume to two-thirds. Thicken the syrup by mixing the cornstarch with 2 tablespoons of water and stirring it into the wine. Bring it quickly to a boil and remove it from the heat.
4 While the wine syrup cools, beat the cream and powdered sugar with an electric beater for 3 minutes.
5 Pour 3 tablespoons of wine syrup onto each serving plate and place a pear in the center of each. Use a spoon to drizzle the cream onto the stem of the pear, allowing it to drip down the sides.

SECRETO
ELIJA PERAS MADURAS Y SANAS, EN LO POSIBLE
DE LA VARIEDAD "WINTER" Y QUE CONSERVEN
EL PEDÚNCULO.

SECRET
LOOK FOR WINTER PEARS BECAUSE THEY
CONSERVE THE STEM BEST. ALWAYS SELECT
UNBLEMISHED RIPE PEARS.

CHIRIMOYA ALEGRE
CHERIMOYA WITH ORANGE JUICE

La chirimoya, gloria de los sabores frutales, es exigente en cuanto a ubicación geográfica y clima. Si estos no le son propicios, su tamaño es reducido y su aroma deficiente. Es indiscutible que la IV región costera es privilegiada para su cultivo, especialmente en La Serena, donde se producen las más grandes, dulces, carnosas, sabrosas y aromáticas. Estas son las más adecuadas para equilibrar su sabor con la acidez y el penetrante aroma del jugo de naranjas.

Ingredientes
para 6 personas
– 1 ½ kg de chirimoyas a punto
– 1 kg de naranjas dulces y jugosas
– ½ taza de azúcar flor

Preparación
1 Pele las chirimoyas y pártalas en trozos gruesos para retirarles las pepas. Esta maniobra fragmentará la pulpa en trozos algo más pequeños.
2 Exprima las naranjas y cuele el jugo. Agregue azúcar si no es suficientemente dulce.
3 Coloque los trozos de chirimoya, espolvoreados discretamente con azúcar flor, en platillos hondos de postre y manténgalos en el refrigerador, al igual que el jugo de naranja, que agregará al momento de servir.

The cherimoya is a glorious fruit and very picky about its geographic location and climate. If the conditions are not just right, the fruit will be small and lack aroma. The coastal area of Chile's 4th Region around La Serena is ideal, and the cherimoyas grow large, sweet, meaty, flavorful, and aromatic. These are the best for balancing the flavor of the fruit with the penetrating aroma and acidity of the orange juice.

Ingredients
serves 6
– 3 lbs ripe cherimoyas
– 2 ¼ lbs sweet, juicy oranges
– ½ cup powdered sugar

Preparation
1 Peel the cherimoyas and cut them into thick chunks in order to remove the seeds. The process will break the pulp into smaller, bite-sized pieces.
2 Squeeze the oranges and strain the juice. Add sugar to taste and refrigerate.
3 Divide the cherimoya among individual dessert bowls, sprinkle lightly with powdered sugar and place in the refrigerator. Pour some orange juice onto each portion just before serving.

MOTE CON HUESILLOS
WHEAT BERRIES WITH PEACHES

"Más conocido que el mote con huesillo" es una frase que indica reconocimiento a la amplia popularidad de una persona. Este postre-bebida, símbolo de chilenidad, es de uso habitual durante todo el año, como postre en los asados y como bebida refrescante en el verano. La diferencia estriba en la concentración, dulzor y proporción del mote: más dulce y en menor cantidad como final en una comilona, mientras que como bebida bien helada, se expende en carritos en las calles abrasadas por el sol, en "potrillos" de ½ litro, se prepara con escaso mote y abundante jugo, menos azucarado.

Ingredientes
para 6 personas
- 16 huesillos grandes
- ½ kg de mote de trigo
- ½ taza de azúcar granulada

VARIANTE CON GELATINA
- 3 sobres de gelatina sin sabor (7,5 gr cada uno)

Preparación
1 Remoje los huesillos en agua suficiente para cubrirlos totalmente por unas 3 horas. Luego agregue azúcar y póngalos a cocer durante 30 minutos, retire del fuego y refrigere.
2 Ponga a cocer el mote durante 5 minutos, luego páselo por agua fría y manténgalo en el refrigerador.
3 Puede servir esta bebida refrescante en un vaso amplio durante el verano y en platillo hondo cuando quiera presentarlo como postre.

VARIANTE CON GELATINA
1 Compre un tubo de PVC de 5 cm de diámetro y de 1 m de largo y divídalo en trozos de 6,5 cm, para obtener 15 moldes.
2 Disuelva la gelatina en una taza de jugo de huesillos tibio y agréguelo a ¾ litro de jugo caliente.
3 Sobre una bandeja, previamente enfriada en el congelador durante 20 minutos, coloque los moldes. Vacíe en cada uno 2 cucharaditas de jugo de huesillos y vuelva la bandeja al congelador por 10 minutos, para sellar la base de los moldes.
4 Pique gruesos los huesillos, elimine el carozo y rellene con ellos ⅓ de cada molde. Luego agregue el mote.
5 Congele por 10 minutos más, retire y rellene lentamente con el jugo de huesillos hasta el borde. Vuelva a refrigerar hasta el momento de servir.

The expression "better known than mote con huesillo" is used in reference to a well-liked, popular person and also pays homage to this Chilean favorite. This dessert-drink is enjoyed year-round at barbecues and as a refreshing summer drink. The difference is in the concentration, degree of sweetness, and amount of wheat berries per portion. Sweeter, smaller servings are welcome at the end of a large meal, and street vendors offer well-chilled, quart-sized glasses filled with more juice and less sugar as a welcome respite from the sweltering summer heat.

Ingredients
serves 6
- 16 large dried peaches
- 1 lb wheat berries
- ½ cup granulated sugar

GELATIN VARIATION
- 3 packets unflavored gelatin (¼ oz each)

Preparation
1 Cover the peaches with water and soak them for 3 hours. Add the sugar and simmer for 30 minutes. Remove from the heat and refrigerate in their juice.
2 Boil the wheat berries for 5 minutes, rinse under cold water, and then refrigerate.
3 This can be served as a refreshing drink in a large glass during the summer or in a bowl as a dessert.

GELATIN VARIATION
1 Buy a 1-yard length of 2-inch PVC pipe and cut it into 2 ½-inch lengths to make 15 molds.
2 Dissolve the gelatin in a cup of warm peach juice, and then add it to ¾ quart of hot juice.
3 Chill a metal baking sheet in the freezer for 20 minutes; remove and place the molds upright on it. Pour 2 teaspoons of gelatin liquid into each mold and return to the freezer for 10 minutes to seal the base of the molds.
4 Coarsely chop the peaches and discard the pit. Divide the peaches among the molds, filling to ⅓, and then add the wheat berries.
5 Return to the freezer for another 10 minutes. Remove and slowly fill the molds with the peach juice-gelatin mixture. Refrigerate until ready to serve.

SECRETO
PARA HACER MÁS ATRACTIVO EL JUGO DE HUESILLO, AGRÉGUELE CARAMELO LÍQUIDO PREPARADO CON 4 CUCHARADAS DE AZÚCAR Y 1 DE AGUA.

SECRET
FOR A MORE ATTRACTIVE JUICE, COLOR IT WITH LIQUID CARAMEL MADE WITH 4 TABLESPOONS OF SUGAR AND 1 OF WATER.

ÍNDICE DE RECETAS
RECIPE INDEX

SECRETOS DE LA COCINA
es una colección de libros ORIGO

Secretos de la Cocina Chilena
por Roberto Marín Vivado

★ ★ ★

Dirección Editorial
Hernán Maino

Edición Ejecutiva
María Alejandra Dulcić

Chef Asistente
José Luis Merino

Fotografía
Rafael Fernández

Edición de Textos
Margaret Snook,
María José Dulcić

Producción Gráfica
Marcelo Baeza

ORIGO EDICIONES
Padre Alonso de Ovalle 748
Santiago de Chile
Tel (56-2) 587 8700 · Fax (56-2) 638 3565
www.origo.cl

Copyright © 2006 Origo Ediciones
Inscripción N° 154.041
I.S.B.N. 956-8077-70-7

GRADO DE DIFICULTAD

Las recetas presentadas en este libro han sido seleccionadas para ser preparadas fácilmente en la casa por cualquier cocinero aficionado. Sin embargo, algunas requieren más cuidados y tiempos de elaboración que otras, por lo que hemos determinado el grado de dificultad en la preparación de cada una con sombreros de chef.

DEGREE OF DIFFICULTY

The recipes presented in this book have been selected for easy preparation by any home cook, although some require more time and skill than others. We have therefore prepared the following scale to show the degree of difficulty of preparation of each dish, according to the number of chefs hats.

Fácil y rápida.   ☺   Fast and easy.

Medianamente fácil.   ☺ ☺   Moderately easy.

Requiere de mayor atención y tiempo de preparación.   ☺ ☺ ☺   Requires more time and attention during preparation.

NOTE ON TRANSLATIONS

The recipes have been adapted for home cooks in a US kitchen, and all attempts have been made to provide substitution equivalents wherever possible.

此書於 2006 年 9 月於中國完成印刷。